우린 어떻게 살 것인가

이단 박창수 지음

세상에 숨겨진 이야기

*내 모든 에너지를 발산하며 살아가라

*모든 적은 내 안에 있다

*인생에서 얻은 새행착오를 옳은 길로 안내하라

*인생은 한편의 드라마다

*자기사랑에 인색하지 말지어다

*남에 말에 적당히 귀 기울여라

*가르치려고 애쓰지 말아라

*자기개발에 온 힘을 다 할 지어다

*인생을 너무 어렵게 살지 말자

*건강을 헤치지 말고 단련 하여라

과거와 현재 미래를 정리정돈 하자

*과거 경험의 회고

*과거의 교훈에서 배우기

*현재 상황 분석

*현재의 강점과 약점 파악하기

*현재 목표 설정과 우선순위

*미래 비전 구체화

*장기적 목표와 단기적 계획 수립

*미래를 위한 준비와 전략

*변화에 대한 유연한 적응

*지속적인 성장과 발전을 위한 자기 점검

살아서 느끼는 행복을 누리며 살자

*매일의 작은 행복 발견하기

*감사하는 마음 가지기

*현재 순간에 집중하기

*자연과의 교감

*건강한 삶을 위한 신체 관리

*긍정적인 인간관계 형성

*취미와 여가 활동 즐기기

*마음의 평화 찾기

*자기 성장과 자기 계발

*삶의 의미와 목적 찾기

인간관계가 인생의 도박과도 같은 것이다

*인간 관계의 불확실성

*신뢰와 배신의 양면성

*감정적 투자와 위험

*이해와 오해

*관계 형성의 전략

*갈등 해결과 타협

*유익한 관계와 유해한 관계 구분하기

*인간 관계에서의 기회와 손실

*의사소통의 중요성

*성공적인 관계를 위한 지속적인 노력

늦게 깨친 삶이 남은 삶을 지배하는 것이다

*늦게 배운 교훈의 가치

*인생 후반기의 전환점

*후반기 인생의 목표 설정

*과거 경험에서 배우기

*변화의 필요성 인식하기

*새로운 시작을 위한 준비

*지속적인 자기 계발과 학습

*인생의 남은 시간을 가치 있게 사용하기

*후반기 인생에서의 성공과 성취

세상에 숨겨진 이야기

*내 모든 에너지를 발산하며 살아가라

인생은 짧고, 그 짧은 시간 속에서 우리는 수많은 선택을 하게 된다. 그 선택들 속에서 가장 중요한 것은 아마도 '어떻게 살아갈 것인가' 일 것이다. '내 모든 에너지를 발산하며 살아가라' 는 말은 단순한 구호가 아니다. 그것은 우리의 삶을 더 풍요롭고 의미 있게 만드는 지침이다.

매일 아침 눈을 뜨면 새로운 하루가 시작된다. 그 하루를 어떻게 보낼 것인지는 우리의 마음가짐에 달려 있다. 자신이 가진 모든 에너지를 발산하며 살아간다면, 우리는 매 순간을 더욱 활기차고 열정적으로 보낼 수 있다. 일상 속 작은 일들에서도 기쁨과 의미를 찾을 수 있다.

내 모든 에너지를 발산하며 살아간다는 것은 자신이 가진 능력과 재능을 최대한 활용하는 것이다. 우리가 가진 잠재력은 무궁무진하다. 그것을 스스로 제한하지 말고, 끊임없이 도전하고 발전시켜야 한다. 새로운 일에 도전할 때, 두려움을 뒤로하고 온 힘을 다해 노력한다면, 우리는 놀라운 성취를 이룰 수 있다. 그 과정에서 얻는 경험과 지혜는 우리의 삶을 더욱 풍요롭게 만든다.

열정을 가지고 살아가는 것도 중요하다. 자신이 사랑하는 일, 마음을 끌리는 일에 모든 에너지를 쏟아붓는 것은 우리의 삶을 더욱 의미 있게 만든다. 열정을 가지고 하는 일은 단순한 의무가 아니라 즐거움이 된다. 그렇게 열정적으로 살아갈 때, 우리는 자신도 모르게 주변 사람들에게 긍정적인 영향을 미치게 된다. 우리의 에너지는 전염되기 마련이다.

또한, 다른 사람들과의 관계 속에서도 내 모든 에너지를 발산해야 한다. 가족, 친구, 동료들과의 관계에서 진심을 다하고, 서로에게 최선을 다하는 것은 큰 보람을 준다. 서로의 삶에 긍정적인 영향을 주고받으며 성장하는 것은 인생의 큰 축복이다. 에너지를 나누는 것은 우리를 더 큰 사람으로 만들어 준다.

몸과 마음의 건강을 유지하는 것도 중요하다. 건강한 몸과 마음이야말로 에너지를 발산하는 데 필요한 기초이다. 규칙적인 운동, 건강한 식습관, 충분한 휴식을 통해 몸과 마음을 돌보자. 또한, 긍정적인 마음가짐과 스트레스 관리도 중요하다. 마음이 평온할 때 우리는 더욱 활기차게 살아갈 수 있다.

삶의 매 순간을 소중히 여기고, 감사하는 마음을 가지는 것도 필요하다. 작은 일에도 감사함을 느끼고, 그 속에서 행복을 찾는 법을 배우자. 그렇게 할 때, 우리는 매 순간 에너지를 발산하며 살아갈 수 있다. 현재를 소중히 여기며 살아가는 것은 인생을 더욱 의미 있게 만드는 방법이다.

결국, 내 모든 에너지를 발산하며 살아간다는 것은 자신이 가진 모든 것을 최선을 다해 사용하는 것이다. 그것은 우리의 삶을 더욱 풍요롭고 의미 있게 만들며, 매 순간을 더욱 가치 있게 만든다. 인생은 짧지만, 그 안에서 우리가 할 수 있는 일들은 무궁무진하다. 우리의 에너지를 최대한 발산하며 살아갈 때, 우리는 진정으로 충만한 삶을 살아갈 수 있다.

세상에 숨겨진 이야기

*모든 적은 내 안에 있다

인생을 살아가면서 마주치는 가장 큰 적은 외부에 있지 않다. 진정한 적은 바로 내 안에 있다. 그것은 나의 두려움, 불안, 의심, 그리고 자신에 대한 불신일 것이다. 이러한 내면의 적들은 우리를 괴롭히고, 진정한 자신을 발견하고 성장하는 것을 방해한다.

먼저, 두려움에 대해 생각해보자. 두려움은 우리가 새로운 도전을 피하게 만들고, 현재의 안락함에 안주하도록 만든다. 두려움은 실패에 대한 두려움, 비판에 대한 두려움, 그리고 미래에 대한 불확실성에서 비롯된다. 하지만 두려움을 직면하고 극복하는 것이야말로 진정한 성장의 시작이다. 두려움은 우리가 새로운 기회를 마주하고, 더욱 강해질 수 있도록 도와주는 숨겨진 동반자일 수 있다.

불안은 우리의 마음을 혼란스럽게 만든다. 미래에 대한 불확실성, 그리고 현재의 상황에 대한 걱정들은 우리를 끊임없이 괴롭힌다. 하지만 불안은 우리가 통제할 수 없는 것들에 대한 과도한 집착에서 비롯된다. 현재에 집중하고, 지금 이 순간에 충실할 때, 불안은 사라지고 평온함이 찾아온다. 마음을 평온하게 유지하는 것은 우리 내면의 적을 물리치는 첫 걸음이다.

의심은 우리의 능력을 제한하는 강력한 적이다. 스스로를 의심하는 순간, 우리는 자신의 가능성을 부정하게 된다. 의심은 자신을 믿지 못하게 만들고, 결과적으로 우리를 무기력하게 만든다. 하지만 스스로에 대한 믿음을 갖고, 자신의 가능성을 인정하는 것이 중요하다. 자신의 강점을 발견하고, 그 강점을 최대한 활용할 때 우리는 의심을 극복할 수 있다.

자신에 대한 불신은 모든 내면의 적들 중에서 가장 강력하다. 자신을 믿지 못하면, 다른 사람들도 우리를 믿지 못하게 된다. 자신에 대한 불신은 우리를 무기력하게 만들고, 삶의 모든 면에서 실패를 경험하게 만든다. 하지만 자기 신뢰를 회복하는 것이 중요하다. 자신에 대한 신뢰는 작은 성공에서 비롯된다. 작은 목표를 설정하고, 그것을 이루어 나갈 때 자신에 대한 신뢰가 서서히 회복된다.

모든 적은 내 안에 있다. 외부의 장애물이나 어려움보다도, 내면의 적들이 우리를 더 강하게 억누른다. 하지만 내면의 적들을 직면하고 극복하는 것이야말로 진정한 승리이다. 두려움을 마주하고, 불안을 다스리며, 의심을 극복하고, 자신에 대한 신뢰를 회복하는 과정은 쉽지 않다. 하지만 그 과정을 통해 우리는 더욱 강해지고, 진정한 자신을 발견할 수 있다.

내 안의 적들과 싸우는 것은 끊임없는 자기 성찰과 노력이 필요하다. 자신을 돌아보고, 내면의 목소리에 귀를 기울이며, 스스로를 변화시켜 나가는 것이 중요하다. 이 과정을 통해 우리는 더욱 성장하고, 진정한 행복과 평화를 찾을 수 있다.

결국, 모든 적은 내 안에 있다. 그 적들을 직면하고 극복하는 것이야말로 우리가 살아가는 이유이자 목적이다. 내면의 적들을 극복할 때, 우리는 진정한 자유와 평화를 얻을 수 있다. 그것이 바로 인생의 진정한 승리이다.

세상에 숨겨진 이야기

*새로운 경험을 통해 나를 올바른 길로 인도하다

삶은 끊임없는 선택의 연속이며, 그 선택들은 우리의 방향을 결정짓는다. 매 순간 우리는 새로운 경험을 마주하게 되고, 그 경험들은 우리를 올바른 길로 인도하는 중요한 역할을 한다. 새로운 경험을 통해 우리는 자신을 더 잘 이해하고, 삶의 의미를 찾아가며, 더 나은 사람으로 성장할 수 있다.

새로운 경험은 두려움과 설렘을 동시에 가져다준다. 익숙한 것에서 벗어나 낯선 세계에 발을 들이는 것은 쉽지 않다. 그러나 새로운 경험을 통해 우리는 자신이 얼마나 많은 잠재력을 가지고 있는지 깨닫게 된다. 그동안 몰랐던 자신의 능력을 발견하고, 그것을 최대한 발휘할 수 있는 기회를 얻게 된다. 이 과정에서 우리는 더 강해지고, 더 자신감 있게 살아갈 수 있다.

또한, 새로운 경험은 우리에게 넓은 시야를 제공한다. 익숙한 환경 속에서는 한정된 시각으로 세상을 바라보게 된다. 하지만 새로운 경험을 통해 다양한 문화와 사람들을 접하게 되면, 우리의 시야는 넓어지고, 더 깊이 있는 이해를 할 수 있게 된다. 이러한 이해는 우리를 더 포용적이고, 더 지혜로운 사람으로 만들어준다.

새로운 경험은 또한 우리의 가치관을 재정립하게 한다. 일상에서 벗어나 새로운 상황을 마주하게 되면, 우리는 자신이 진정으로 원하는 것이 무엇인지, 어떤 가치를 중요하게 여기는지 다시 생각하게 된다. 이 과정에서 우리는 자신의 삶의 방향을 재조정하고, 더 올바른 길을 찾아 나갈 수 있다. 새로운 경험은 우리에게 자신을 돌아보고, 진정한 자신을 발견할 수 있는 기회를 준다.

물론, 새로운 경험이 항상 쉽고 즐거운 것만은 아니다. 때로는 예상치 못한 어려움과 마주하게 되고, 그 과정에서 실망하거나 좌절할 수도 있다. 하지만 이러한 경험들은 우리를 더욱 단단하게 만들어준다. 어려움을 극복하는 과정에서 우리는 인내와 용기를 배우게 되고, 더 큰 성취감을 얻게 된다. 새로운 경험을 통해 우리는 실패를 두려워하지 않고, 도전할 수 있는 용기를 얻게 된다.

새로운 경험은 또한 우리에게 많은 기회를 제공한다. 익숙한 것에 머무르지 않고, 끊임없이 새로운 것에 도전할 때, 우리는 더 많은 가능성을 마주하게 된다. 이러한 가능성들은 우리를 더 나은 방향으로 인도하고, 더 큰 성취를 이룰 수 있도록 도와준다. 새로운 경험을 통해 우리는 더 풍요롭고, 의미 있는 삶을 살아갈 수 있다.

결국, 새로운 경험을 통해 나를 올바른 길로 인도하는 것은 자기 성장과 발전의 과정이다. 우리는 새로운 경험을 통해 자신을 더 잘 이해하고, 삶의 의미를 찾아가며, 더 나은 사람으로 성장할 수 있다. 이 과정에서 우리는 진정한 행복과 평화를 찾을 수 있으며, 더 충만한 삶을 살아갈 수 있다.

그러므로, 두려움을 뒤로하고 새로운 경험에 도전하자. 그것이 우리를 더 나은 길로 인도할 것이며, 진정한 자신을 발견하는 데 큰 도움이 될 것이다. 새로운 경험을 통해 우리는 더 넓은 세상을 보고, 더 깊은 이해를 하며, 더 큰 성취를 이룰 수 있다. 이러한 경험들이 우리의 삶을 더욱 풍요롭고 의미 있게 만들어줄 것이다.

세상에 숨겨진 이야기

*인생은 한편의 드라마다

인생은 마치 한편의 드라마와 같다. 태어남으로써 첫 장이 시작되고, 죽음으로 마지막 장이 마무리된다. 그 사이의 이야기는 희로애락으로 가득 차 있으며, 각자의 인생은 독특한 줄거리를 가진다. 이 드라마 속에서 우리는 주인공이자 감독이며, 때로는 조연이 되기도 한다.

드라마의 첫 장면은 우리의 출생이다. 우리는 부모님의 기대와 축복 속에 세상에 나와, 사랑과 보호 속에서 자라난다. 어린 시절은 마치 서막과 같다. 순수하고, 세상에 대한 호기심으로 가득 차 있으며, 모든 것이 새롭고 신비롭게 느껴진다. 이 시기는 우리의 인생 드라마의 기초를 다지는 시기이다.

청소년기와 청년기는 드라마의 전개 부분에 해당한다. 이 시기에는 많은 도전과 변화가 있다. 우리는 꿈을 꾸고, 그 꿈을 향해 나아가며, 실패와 성공을 경험한다. 친구들과의 우정, 첫사랑, 학업과 직장에서의 도전 등 다양한 이야기가 펼쳐진다. 이 과정에서 우리는 많은 것을 배우고 성장한다.

중년기는 드라마의 절정에 해당한다. 이 시기에는 가정과 직장에서의 책임이 커지며, 인생의 중요한 결정을 내리게 된다. 결혼, 자녀 양육, 직업적인 성취와 실패 등 많은 사건들이 우리의 삶을 더욱 풍성하게 만든다. 이 시기에는 자신의 역할에 충실하며, 많은 사람들과의 관계 속에서 다양한 경험을 쌓아간다. 중년기는 인생의 절정기이자, 성숙해가는 과정이다.

노년기는 드라마의 결말에 해당한다. 이 시기에는 그동안의 경험과 지혜를 바탕으로 좀 더 여유로운 삶을 살아간다. 자녀들이 성장하여 독립하고, 자신만의 시간을 가지며, 지난날을 돌아보는 시기이다. 친구들과의 만남, 여행, 취미 활동 등을 통해 삶의 또 다

큰 즐거움을 찾게 된다. 노년기는 인생의 결실을 맺는 시기이자, 새로운 시작을 준비하는 시간이다.

인생 드라마의 가장 큰 특징은 예측할 수 없다는 것이다. 우리는 미래에 어떤 일이 일어날지 알 수 없다. 예상치 못한 사건과 만남들이 우리의 인생을 변화시킨다. 때로는 슬픔과 고통이 찾아오고, 때로는 기쁨과 행복이 찾아온다. 이러한 예측 불가능한 요소들이 인생을 더욱 흥미롭게 만든다.

또한, 인생 드라마는 각자의 선택과 결정에 따라 달라진다. 우리는 매 순간 선택을 하며, 그 선택들이 모여 우리의 인생을 만들어간다. 때로는 후회와 반성이 따르기도 하지만, 그 모든 것들이 우리의 인생을 더욱 풍성하게 만든다. 우리의 선택이 곧 우리의 인생 드라마의 줄거리를 만들어가는 것이다.

인생은 한편의 드라마이기에, 우리는 그 드라마 속에서 주인공으로서 자신의 역할을 다해야 한다. 어려운 상황에서도 포기하지 않고, 끝까지 최선을 다하는 것이 중요하다. 우리의 인생 드라마는 우리의 노력이 담긴 작품이며, 그 작품 속에서 우리는 진정한 의미와 가치를 찾아갈 수 있다.

결국, 인생은 한편의 드라마다. 각자의 인생은 독특하고 소중한 이야기로 가득 차 있으며, 그 이야기들은 우리를 성장하게 하고, 더욱 풍요로운 삶을 살아가게 한다. 우리의 인생 드라마는 우리가 만드는 것이며, 그 속에서 우리는 주인공으로서 빛나야 한다. 인생이라는 드라마를 멋지게 연출하고, 그 속에서 행복과 성취를 찾아가자.

세상에 숨겨진 이야기

*자기사랑에 인색하지 말지어다

우리 사회는 타인을 배려하고 존중하는 것을 미덕으로 여긴다. 물론 이는 중요한 가치지만, 때로는 자기 자신을 돌보는 것을 소홀히 하는 경향이 있다. 그러나 진정한 행복과 성취는 자기 자신을 사랑하는 것에서부터 시작된다. 자기사랑에 인색하지 말아야 한다는 것은 우리 모두가 잊지 말아야 할 중요한 교훈이다.

자기 자신을 사랑한다는 것은 자신의 가치를 인정하고 존중하는 것이다. 우리는 종종 다른 사람의 시선이나 평가에 너무 많은 신경을 쓰느라 자신을 잊어버린다. 그러나 자신의 가치를 스스로 인정하지 않는다면, 누구도 우리를 진정으로 존중할 수 없다. 자신을 사랑하는 것은 자기 존중의 첫 걸음이며, 이를 통해 우리는 더욱 자신감 있고 당당하게 살아갈 수 있다.

자기 자신을 사랑하는 것은 또한 자기 돌봄을 의미한다. 우리는 바쁜 일상 속에서 자신을 돌보는 시간을 가지기 어렵다고 느낄 때가 많다. 그러나 신체적, 정신적 건강을 유지하는 것은 우리가 행복하고 충만한 삶을 살아가는 데 필수적이다. 규칙적인 운동, 충분한 수면, 건강한 식습관, 그리고 명상이나 휴식 시간을 통해 자신의 몸과 마음을 돌보는 것이 필요하다.

자기 자신을 사랑하는 것은 자신의 감정과 필요를 인정하고 수용하는 것이다. 우리는 종종 자신의 감정을 억누르고, 타인의 기대에 맞추려는 경향이 있다. 그러나 자신의 감정을 이해하고 표현하는 것은 매우 중요하다. 자신이 무엇을 원하는지, 무엇이 필요한지를 명확히 알고 그것을 충족시켜 나가는 것이 자기사랑의 핵심이다.

자기 자신을 사랑하는 것은 자신의 강점과 약점을 모두 인정하는 것이다. 우리는 완벽하지 않다. 누구나 실수하고 실패할 수 있다. 중요한 것은 자신의 약점을 인정하고, 그것을 개선하기 위해 노력하는 것이다. 동시에 자신의 강점을 알고 그것을 최대한 활용하는 것도 중요하다. 자신의 모든 부분을 수용할 때 우리는 진정한 자기사랑을 실천할 수 있다.

또한, 자기 자신을 사랑하는 것은 타인을 사랑하는 능력과도 직결된다. 자신을 사랑할 줄 모르는 사람은 다른 사람을 진정으로 사랑할 수 없다. 자기 자신을 사랑하고 존중할 때, 우리는 타인도 사랑하고 존중할 수 있는 힘을 가지게 된다. 이는 우리의 인간관계를 더욱 풍요롭게 만들고, 더 깊은 유대감을 형성하게 한다.

결국, 자기사랑에 인색하지 말아야 한다는 것은 우리가 더 행복하고 충만한 삶을 살아가기 위한 필수적인 요소이다. 자신을 사랑하는 것은 이기적인 것이 아니다. 오히려 이는 우리의 삶을 더욱 풍요롭고 의미 있게 만들며, 다른 사람들과의 관계를 더욱 건강하고 긍정적으로 만들어 준다.

그러므로, 자기사랑을 실천하자. 자신을 소중히 여기고, 자신의 감정과 필요를 인정하며, 자신의 강점과 약점을 모두 수용하자. 이를 통해 우리는 진정한 행복과 성취를 느낄 수 있을 것이다. 자기사랑에 인색하지 말지어다, 그것이 우리의 삶을 더욱 빛나게 할 것이다.

세상에 숨겨진 이야기

*남에 말에 적당히 귀 기울여라

우리는 사회적 존재로서 타인과의 관계 속에서 살아간다. 사람들과의 대화와 의견 교환은 우리의 삶을 풍요롭게 만들고, 다양한 관점과 지혜를 얻을 수 있는 기회를 제공한다. 그러나 남의 말에 지나치게 휘둘리거나, 그 말에 너무 많은 영향을 받는 것은 우리 자신의 생각과 감정을 소홀히 하게 만들 수 있다. 남의 말에 적당히 귀 기울이는 법을 아는 것이 중요하다.

타인의 의견을 듣는 것은 우리가 성장하고 발전하는 데 큰 도움이 된다. 다른 사람들의 경험과 지식을 통해 우리는 더 넓은 시각을 가질 수 있고, 자신의 부족한 부분을 채울 수 있다. 다양한 의견을 수용하는 자세는 우리의 사고를 더욱 풍부하게 만들고, 문제를 해결하는 데 있어 창의적인 접근을 가능하게 한다.

그러나 모든 말을 무조건적으로 받아들이는 것은 위험하다. 다른 사람들의 말이 항상 옳거나 우리에게 도움이 되는 것은 아니다. 때로는 잘못된 정보나 편견이 담긴 말도 있을 수 있고, 그 말이 우리의 삶에 부정적인 영향을 미칠 수도 있다. 따라서 남의 말을 들을 때에는 그것을 비판적으로 평가하고, 자신에게 진정으로 도움이 되는지 판단하는 능력이 필요하다.

남의 말에 적당히 귀 기울이는 것은 자기 자신을 존중하는 태도에서 시작된다. 우리는 자신의 생각과 감정을 존중하고, 그것을 기반으로 결정을 내려야 한다. 타인의 의견을 참고하되, 최종적인 결정은 자신이 내려야 한다. 자신의 가치관과 목표를 분명히 하고, 그것에 맞춰 다른 사람들의 말을 수용하는 것이 중요하다.

또한, 남의 말에 귀 기울이는 것은 상대방에 대한 존중과 배려를 의미한다. 대화를 나눌 때 상대방의 말을 경청하고, 그들의 의견을 존중하는 태도는 건강한 인간관계를 형성하는 데 필수적이다. 상대방의 의견을 듣고, 그것에 대해 진지하게 고민하는 것은 그들과의 신뢰를 쌓는 중요한 방법이다.

하지만 남의 말에 지나치게 귀 기울이는 것은 자기 자신의 판단력을 흐리게 만들 수 있다. 우리는 때로는 타인의 기대나 압력에 의해 자신의 의견을 쉽게 포기하기도 한다. 이는 우리를 불안하게 만들고, 자신의 삶을 주체적으로 살아가는 데 방해가 된다. 따라서 남의 말을 들을 때에는 자신의 생각과 감정을 충분히 고려해야 한다.

결국, 남의 말에 적당히 귀 기울이는 것은 균형 잡힌 태도를 요구한다. 타인의 의견을 수용하되, 그것이 자신의 가치관과 목표에 부합하는지 판단하는 것이 중요하다. 다른 사람들의 경험과 지식을 통해 배우면서도, 자신의 판단과 결정을 존중하는 자세를 가져야 한다.

그러므로, 남의 말에 적당히 귀 기울이자. 타인의 의견을 경청하고, 그것을 통해 배우면서도, 자신의 생각과 감정을 존중하는 태도를 가지자. 이를 통해 우리는 더 넓은 시각을 가지게 되고, 더욱 성숙하고 주체적인 삶을 살아갈 수 있을 것이다. 남의 말에 귀 기울이되, 그것이 우리의 삶을 흔들지 않도록 균형을 유지하는 것이 중요하다.

세상에 숨겨진 이야기

*가르치려고 애쓰지 말아라

우리 모두는 때때로 누군가를 가르치려는 충동을 느낀다. 자신이 알고 있는 지식을 공유하고, 다른 사람에게 도움을 주고 싶은 마음은 자연스러운 것이다. 그러나 때로는 가르치려는 노력 자체가 오히려 역효과를 낼 수 있다. 상대방에게 부담을 주거나 반발심을 불러일으킬 수 있기 때문이다. 그래서 때로는 가르치려고 애쓰지 않는 것이 오히려 더 나은 결과를 가져올 수 있다.

첫째, 가르치려는 마음보다는 이해하려는 마음을 가지는 것이 중요하다. 우리는 상대방의 입장과 상황을 충분히 이해하지 못한 채 자신의 의견을 강요하는 경우가 많다. 상대방의 관점을 존중하고, 그들의 생각과 감정을 진심으로 이해하려고 노력하는 것이 필요하다. 이해하는 태도는 상대방과의 신뢰를 쌓고, 더 깊은 대화를 나눌 수 있게 해준다.

둘째, 가르치려는 태도보다는 함께 배워가는 자세를 가지는 것이 좋다. 우리는 누구나 배움의 과정에 있으며, 완벽한 지식을 가진 사람은 없다. 상대방과 함께 새로운 것을 배우고, 서로의 의견을 나누는 과정에서 더 큰 성장을 이룰 수 있다. 이러한 자세는 상대방에게 부담을 주지 않으면서도, 함께 발전할 수 있는 기회를 제공한다.

셋째, 행동으로 보여주는 것이 말보다 더 강력한 가르침이 될 수 있다. 우리는 종종 말로만 가르치려 하지만, 실제로 자신의 행동을 통해 본보기를 보여주는 것이 더 큰 영향을 미친다. 자신의 삶에서 모범이 되는 행동을 실천함으로써, 상대방에게 자연스럽게 긍정적인 영향을 줄 수 있다. 행동은 말보다 더 설득력 있고, 지속적인 영향을 미친다.

넷째, 가르치려는 태도는 상대방의 자존감을 해칠 수 있다. 자신의 의견을 강요하거나, 상대방의 생각을 무시하는 태도는 그들의 자존감을 떨어뜨릴 수 있다. 가르치려는 대신, 상대방의 의견을 존중하고 그들의 생각을 경청하는 것이 중요하다. 이는 상대방의 자존감을 지켜주며, 더 건강한 관계를 유지하는 데 도움이 된다.

마지막으로, 가르치려는 대신 질문을 통해 상대방이 스스로 깨닫도록 도와주는 것이 좋다. 질문은 상대방이 자신의 생각을 깊이 있게 고민하게 만들고, 스스로 답을 찾도록 이끈다. 이는 상대방의 사고력을 향상시키고, 더 깊은 이해를 도울 수 있다. 질문을 통해 상대방이 스스로 깨닫도록 도와주는 것은 더 효과적인 가르침 방법이다.

결국, 가르치려고 애쓰지 말라는 말은 상대방을 존중하고, 그들의 입장을 이해하며, 함께 배우는 자세를 가지라는 뜻이다. 우리는 모두 배움의 과정에 있으며, 서로의 경험과 지식을 나누면서 함께 성장할 수 있다. 상대방을 가르치려고 애쓰는 대신, 이해하고 존중하는 태도로 접근할 때, 우리는 더 나은 관계를 맺고, 더 큰 성장을 이룰 수 있다.

그러므로, 가르치려는 대신 이해하려고 노력하자. 상대방의 관점을 존중하고, 함께 배워가는 자세를 가지며, 자신의 행동으로 본보기를 보여주자. 이를 통해 우리는 더 깊은 신뢰를 쌓고, 더 건강한 인간관계를 형성할 수 있을 것이다. 가르치려 애쓰지 말고, 함께 성장하는 길을 선택하자.

세상에 숨겨진 이야기

*자기개발에 온 힘을 다 할 지어다

인생은 끊임없는 배움과 성장을 통해 더 나은 자신을 만들어가는 여정이다. 우리는 모두 자신의 잠재력을 최대한 발휘하고, 더 나은 삶을 살아가기 위해 자기개발에 온 힘을 다해야 한다. 자기개발은 단순히 직업적 성공을 위한 도구가 아니라, 우리의 삶을 풍요롭게 만들고, 진정한 행복을 찾는 길이다.

첫째, 자기개발은 자신을 더 깊이 이해하는 것에서 시작된다. 우리는 자신의 강점과 약점, 관심사와 목표를 명확히 알아야 한다. 자신을 잘 이해할 때, 우리는 더 효과적으로 자신을 개발할 수 있다. 이를 위해 정기적으로 자신을 돌아보고, 성찰하는 시간을 가지는 것이 필요하다.

둘째, 목표를 설정하고 계획을 세우는 것이 중요하다. 명확한 목표는 우리가 어떤 방향으로 나아가야 할지 알려준다. 목표를 설정한 후에는 구체적인 계획을 세워야 한다. 이는 우리가 목표를 향해 꾸준히 노력할 수 있도록 도와준다. 작은 목표들을 하나씩 달성해 나가면서 우리는 점점 더 큰 목표에 도달할 수 있다.

셋째, 지속적인 학습과 훈련이 필요하다. 우리는 새로운 지식과 기술을 배우기 위해 끊임없이 노력해야 한다. 책을 읽고, 강의를 듣고, 워크숍에 참여하며, 다양한 학습 기회를 활용하자. 또한, 배운 것을 실제로 적용하고 연습하는 과정에서 우리는 더욱 성장할 수 있다. 학습은 끝이 없는 여정이며, 이를 통해 우리는 계속해서 발전할 수 있다.

넷째, 자신에게 도전하는 것이 중요하다. 편안한 영역에 머무르지 말고, 새로운 도전을 받아들여야 한다. 새로운 경험과 도전은 우리를 더 강하게 만들고, 더 넓은 시야를 가지게 한다. 실패를 두려워하지 말고, 실패를 통해 배우고 성장하는 자세를 가지

자. 도전을 통해 우리는 더 큰 성취를 이룰 수 있다.

다섯째, 자기관리가 필요하다. 신체적, 정신적 건강을 유지하는 것은 자기개발의 기초이다. 규칙적인 운동, 건강한 식습관, 충분한 수면을 통해 신체를 돌보자. 또한, 스트레스 관리와 명상을 통해 정신적인 안정도 유지해야 한다. 건강한 몸과 마음이야말로 자기개발을 위한 필수적인 조건이다.

여섯째, 긍정적인 마인드를 유지하는 것이 중요하다. 긍정적인 생각은 우리를 더 나은 방향으로 이끌어준다. 자신을 믿고, 긍정적인 태도로 도전에 임할 때, 우리는 더 많은 성취를 이룰 수 있다. 또한, 긍정적인 마인드는 우리에게 에너지를 주고, 더 행복한 삶을 살아갈 수 있도록 도와준다.

마지막으로, 주변 사람들과의 관계를 소중히 여겨야 한다. 자기개발은 혼자 하는 것이 아니라, 주변 사람들과 함께하는 것이다. 가족, 친구, 동료들과의 관계에서 우리는 많은 것을 배우고, 성장할 수 있다. 서로 지지하고 격려하며, 함께 발전해 나가는 과정은 우리의 삶을 더욱 풍요롭게 만든다.

결국, 자기개발에 온 힘을 다하는 것은 자신을 더 나은 사람으로 만들어가는 과정이다. 우리는 끊임없이 배우고, 도전하며, 성장할 때, 더 행복하고 충만한 삶을 살아갈 수 있다. 자기개발은 우리의 잠재력을 최대한 발휘하고, 진정한 자신을 발견하는 길이다.

그러므로, 자기개발에 온 힘을 다하자. 자신을 깊이 이해하고, 목표를 설정하며, 지속적으로 학습하고 도전하자. 긍정적인 마인드와 건강한 생활을 유지하며, 주변 사람들과 함께 성장해 나가자. 이를 통해 우리는 더 나은 자신을 만들어가고, 더 의미 있는 삶을 살아갈 수 있을 것이다. 자기개발에 온 힘을 다 할 지어다, 그것이 우리의 삶을 빛나게 할 것이다.

세상에 숨겨진 이야기

*인생을 너무 어렵게 살지 말자

우리 모두는 인생을 살아가면서 다양한 도전을 마주한다. 그러나 때때로 우리는 인생을 지나치게 어렵게 만드는 경향이 있다. 삶의 무게에 짓눌려 스트레스를 받으며, 완벽을 추구하고, 미래에 대한 과도한 걱정으로 현재를 놓치곤 한다. 하지만 인생을 조금 더 쉽게, 더 즐겁게 살아가는 방법도 있다. 이 글에서는 인생을 덜 어렵게 만드는 몇 가지 방법을 소개하고자 한다.

첫째, 현재를 즐기자. 많은 사람들이 미래에 대한 불안과 과거의 후회로 인해 현재의 순간을 충분히 누리지 못한다. 그러나 진정한 행복은 바로 지금 이 순간에 있다. 오늘의 작은 기쁨과 감사할 것들을 발견하고, 그것들을 충분히 누리는 것이 중요하다. 지금 이 순간을 즐기는 법을 배우면, 우리는 인생을 더욱 풍요롭고 만족스럽게 살 수 있다.

둘째, 완벽함을 추구하지 말자. 완벽하려는 욕심은 우리를 끊임없이 불안하게 만들고 스트레스를 유발한다. 완벽해지려고 애쓰는 대신, 자신의 불완전함을 받아들이고, 그 속에서 배우고 성장하는 법을 익히자. 실수와 실패는 배움의 기회이며, 이를 통해 우리는 더 나은 사람이 될 수 있다. 완벽함을 추구하는 대신, 최선을 다하는 것으로 충분하다.

셋째, 단순하게 생각하자. 문제를 지나치게 복잡하게 만들지 말고, 단순하게 접근해보자. 과도한 걱정과 불안에서 벗어나, 현재 상황에서 할 수 있는 최선을 다하고 결과를 받아들이는 자세를 가지자. 단순하게 생각할 때, 우리는 더 평온한 마음을 가질 수 있다. 복잡한 문제도 단순하게 생각하면 해결의 실마리가 보이기 마련이다.

넷째, 자신에게 휴식을 주자. 끊임없이 바쁘게 살아가는 것은 우리를 지치게 만든다. 때로는 잠시 멈추고, 자신에게 휴식을 주는 것이 필요하다. 휴식은 우리의 몸과 마음을 회복시키고, 새로운 에너지를 준다. 충분한 휴식과 여유로운 시간은 더 나은 삶을 살 수 있도록 도와준다. 일과 휴식의 균형을 맞추는 것이 중요하다.

다섯째, 소소한 행복을 찾자. 인생의 큰 성취나 목표만을 바라보며 살아가기보다는, 일상 속의 작은 행복을 발견하고 즐기는 것이 필요하다. 가족과의 시간, 친구와의 대화, 자연 속에서의 산책, 좋아하는 음악을 듣는 시간 등 소소한 순간들 속에서 우리는 진정한 행복을 찾을 수 있다. 작은 것들에서 행복을 느끼는 법을 배우면, 인생은 훨씬 더 즐거워진다.

결국, 인생을 너무 어렵게 살지 않기 위해서는 현재를 즐기고, 완벽을 추구하지 않으며, 단순하게 생각하고, 자신에게 휴식을 주며, 소소한 행복을 찾는 것이 필요하다. 이러한 자세를 통해 우리는 더 행복하고 풍요로운 삶을 살아갈 수 있다. 인생은 우리가 만드는 것이며, 조금 더 여유롭고 즐겁게 살아가자.

세상에 숨겨진 이야기

*건강을 헤치지 말고 단련 하여라

우리의 몸과 마음은 소중한 자산이다. 건강은 인생의 모든 활동을 가능하게 하는 기초이며, 이를 유지하고 강화하는 것은 매우 중요하다. 하지만 때로는 건강을 소홀히 하거나, 과도한 운동이나 스트레스로 인해 오히려 해치는 경우가 있다. 건강을 해치지 않으면서도 효과적으로 단련하는 방법에 대해 생각해보자.

첫째, 균형 잡힌 식습관을 유지하자. 건강한 몸은 올바른 영양 섭취에서 시작된다. 신선한 과일과 채소, 적절한 단백질, 그리고 충분한 물을 섭취하는 것이 중요하다. 인스턴트 음식이나 가공 식품은 피하고, 자연 그대로의 식재료를 선택하자. 규칙적인 식사와 적절한 양을 지키는 것도 중요하다.

둘째, 규칙적인 운동을 하자. 운동은 우리의 신체를 강화하고, 스트레스를 해소하며, 전반적인 건강을 증진시킨다. 하지만 무리한 운동은 오히려 부상을 초래할 수 있다. 자신의 체력과 건강 상태에 맞는 운동을 선택하고, 점진적으로 운동 강도를 높여가자. 유산소 운동과 근력 운동을 균형 있게 포함시키는 것이 좋다.

셋째, 충분한 휴식을 취하자. 우리는 종종 바쁜 일상 속에서 충분한 휴식을 취하지 못한다. 하지만 휴식은 신체와 정신의 회복을 위해 필수적이다. 하루에 최소 7-8시간의 수면을 유지하고, 규칙적인 수면 패턴을 지키자. 또한, 일과 중에도 짧은 휴식 시간을 가져서 스트레스를 풀고 에너지를 충전하자.

넷째, 정신 건강을 돌보자. 우리의 정신 건강은 신체 건강만큼이나 중요하다. 명상, 요가, 심호흡 운동 등은 마음을 안정시키고 스트레스를 줄이는 데 효과적이다. 또한, 긍정적인 사고를 유지하고, 스트레스를 효과적으로 관리하는 법을 배우는 것도 중요하다. 필요할 때에는 전문가의

도움을 받는 것도 주저하지 말자

과거와 현재 미래를 정리정돈 하자

*과거 경험의 회고

살아오면서 우리는 수많은 경험을 한다. 그 경험들은 때로는 즐겁고 행복한 기억으로 남기도 하고, 때로는 아프고 힘든 기억으로 남기도 한다. 그러나 모든 경험은 우리에게 소중한 교훈을 남기며, 우리를 성장하게 만든다. 과거 경험을 회고하는 것은 자신을 돌아보고, 앞으로 나아갈 방향을 찾는 데 중요한 과정이다.

어릴 적, 부모님과 함께 보낸 시간은 내게 큰 의미가 있다. 가족과 함께한 소중한 추억들은 지금도 나를 미소짓게 한다. 어머니의 따뜻한 손길, 아버지의 든든한 격려는 나의 성장 과정에서 큰 힘이 되었다. 그 시절의 경험은 나에게 사랑과 가족의 중요성을 깨닫게 해주었고, 나의 인생 가치관을 형성하는 데 큰 영향을 미쳤다.

학교 시절, 친구들과 함께했던 시간도 잊을 수 없다. 친구들과 함께 공부하고 놀면서 우리는 서로에게 많은 것을 배웠다. 때로는 다투기도 하고, 오해도 있었지만, 그 모든 경험들이 나를 더 성숙하게 만들었다. 친구들과의 관계 속에서 신뢰와 배려의 중요성을 배웠고, 협력과 소통의 가치를 깨닫게 되었다.

대학생 시절, 새로운 환경에서의 도전은 나를 더욱 강하게 만들었다. 처음으로 부모님 곁을 떠나 독립하면서 많은 어려움을 겪기도 했지만, 그 과정에서 나는 스스로 문제를 해결하는 법을 배웠다. 학업과 아르바이트를 병행하며 시간 관리를 배우고, 책임감 있게 행동하는 법을 익혔다. 이러한 경험들은 나에게 자립심과 자신감을 심어주었다.

직장 생활에서는 다양한 사람들과의 만남과 협력이 중요했다. 처음 사회에 나와 겪었던 시행착오는 나에게 큰 배움의 기회가 되었다. 동료들과의 협력, 상사와의 소통, 고객과의 관계 모두가 나의 성장에 큰 도움이 되었다. 직장에서의 경험을 통해 나는 팀워크의 중요성을 깨닫고, 리더십을 발휘하는 법을 배웠다.

그러나 모든 경험이 긍정적인 것만은 아니었다. 인생의 여정 속에서 우리는 종종 실패와 좌절을 겪는다. 나 역시 많은 실패를 경험했다. 그 실패들은 때로는 나를 낙담하게 했지만, 돌이켜보면 그 실패들이야말로 나를 가장 크게 성장하게 만들었다. 실패를 통해 나는 자신의 부족함을 깨닫고, 더 나은 방향으로 나아갈 수 있는 힘을 얻었다.

과거 경험을 회고하는 것은 단순히 추억을 되새기는 것이 아니다. 그것은 나의 삶을 돌아보고, 앞으로의 방향을 설정하는 중요한 과정이다. 과거의 경험 속에서 우리는 자신의 강점과 약점을 발견하고, 그것을 바탕으로 더 나은 미래를 계획할 수 있다.

결국, 과거 경험의 회고는 우리를 성장하게 만드는 중요한 과정이다. 모든 경험은 나에게 소중한 교훈을 주었고, 나를 더 나은 사람으로 만들어 주었다. 앞으로도 나는 과거의 경험을 소중히 여기며, 그것을 바탕으로 더 나은 미래를 만들어 나갈 것이다. 과거의 경험을 통해 배운 것들을 잊지 않고, 항상 성장하고 발전하는 삶을 살아가자.

과거와 현재 미래를 정리정돈 하자

*과거의 교훈에서 배우기

우리 인생에서 과거의 경험은 현재와 미래를 형성하는 중요한 역할을 한다. 우리는 종종 과거의 실수와 성공에서 많은 것을 배울 수 있다. 과거의 교훈을 통해 우리는 더 나은 결정을 내리고, 더욱 성장할 수 있는 기회를 얻게 된다. 과거의 교훈에서 배우는 방법에 대해 생각해보자.

첫째, 과거를 돌아보는 용기를 가지자. 자신의 과거를 되돌아보는 것은 쉽지 않을 수 있다. 특히, 아픈 기억이나 실수로 인한 경험은 되새기기 어려울 수 있다. 그러나 과거를 직면하고, 그 속에서 배울 점을 찾는 것이 중요하다. 과거의 경험을 통해 우리는 무엇이 잘못되었는지, 어떻게 개선할 수 있는지를 명확히 알 수 있다.

둘째, 실패를 긍정적으로 받아들이자. 실패는 누구나 겪을 수 있는 자연스러운 과정이다. 중요한 것은 실패에서 무엇을 배우느냐이다. 실패를 통해 우리는 자신의 약점을 발견하고, 그것을 보완하는 법을 배울 수 있다. 또한, 실패는 우리에게 인내와 끈기를 가르쳐준다. 실패를 긍정적으로 받아들이고, 그 속에서 성장의 기회를 찾자.

셋째, 성공의 원인을 분석하자. 성공적인 경험 역시 중요한 교훈을 제공한다. 우리가 무엇을 잘했는지, 어떤 전략이 효과적이었는지를 분석하면, 이를 미래에 활용할 수 있다. 성공의 원인을 명확히 이해하고, 그것을 재현하거나 더욱 발전시키는 방법을 모색하자. 성공의 경험은 자신감과 동기부여를 높여준다.

넷째, 타인의 경험에서 배우자. 우리는 자신의 경험뿐만 아니라, 다른 사람들의 경험에서도 많은 것을 배울 수 있다. 주변 사람들의 성공과 실패 이야기를 경청하고, 그들의 교훈을 우리의 삶에 적용해보자. 타인의 경험을 통해 우리는 더 넓은 시야를 가질 수 있고, 보다 현명한 결정을 내릴 수 있다.

다섯째, 현재에 적용하자. 과거의 교훈을 배우는 것만으로는 충분하지 않다. 중요한 것은 그 교훈을 현재의 삶에 어떻게 적용하느냐이다. 과거의 경험에서 배운 점을 토대로 현재의 문제를 해결하고, 더 나은 미래를 만들어 나가자. 이를 통해 우리는 지속적으로 성장할 수 있다.

여섯째, 자기 성찰의 시간을 가지자. 정기적으로 자신의 행동과 생각을 돌아보는 성찰의 시간을 가지자. 성찰을 통해 우리는 자신의 발전 과정을 확인하고, 필요한 변화를 모색할 수 있다. 이는 우리의 삶을 더 의미 있고, 목적지향적으로 만드는 데 도움이 된다.

결국, 과거의 교훈에서 배우는 것은 우리를 더 나은 사람으로 성장시키는 중요한 과정이다. 과거를 돌아보는 용기와 실패를 긍정적으로 받아들이는 자세, 성공의 원인을 분석하는 능력, 타인의 경험에서 배우려는 열린 마음, 그리고 현재에 교훈을 적용하는 실천력이 필요하다. 이를 통해 우리는 더 나은 선택을 하고, 더 행복하고 성공적인 삶을 살아갈 수 있을 것이다.

과거의 교훈을 통해 우리는 자신을 더 깊이 이해하고, 더 나은 미래를 계획할 수 있다. 오늘도 과거의 경험을 되새기며, 그 속에서 배운 교훈을 현재에 적용해보자. 그리하여 더 밝은 내일을 향해 한 걸음 더 나아가자.

과거와 현재 미래를 정리정돈 하자

*현재 상황 분석

인생에서 현재 상황을 분석하는 것은 우리가 앞으로 나아갈 방향을 설정하는 데 중요한 역할을 한다. 현재 상황을 정확히 파악함으로써 우리는 강점과 약점을 명확히 이해하고, 목표를 향한 효과적인 전략을 수립할 수 있다. 현재 상황을 분석하기 위해 다음의 몇 가지 요소를 고려해보자.

첫째, 자신의 위치와 성취를 평가하자. 현재까지 달성한 목표와 이루어낸 성과를 돌아보자. 이를 통해 우리는 무엇을 잘해왔는지, 그리고 어떤 부분에서 더 발전이 필요한지를 알 수 있다. 자신의 강점을 파악하고, 그것을 최대한 활용하는 것이 중요하다. 또한, 아직 이루지 못한 목표나 개선이 필요한 부분을 명확히 인식하는 것도 필요하다.

둘째, 외부 환경을 분석하자. 현재 우리가 처한 외부 환경은 우리의 성과에 큰 영향을 미친다. 경제적 상황, 사회적 변화, 기술 발전 등 다양한 외부 요소들이 우리의 목표 달성에 어떤 영향을 미치는지 살펴보자. 이러한 외부 환경을 이해하면, 우리는 더 나은 전략을 수립할 수 있고, 변화에 유연하게 대응할 수 있다.

셋째, 자신의 자원과 역량을 평가하자. 현재 우리가 가지고 있는 자원과 역량을 분석하는 것도 중요하다. 이는 우리의 시간, 재정적 자원, 기술적 능력, 네트워크 등을 포함한다. 이러한 자원들을 어떻게 효과적으로 활용할 수 있는지 고민해보자. 자신의 역량을 최대한 발휘하기 위해 필요한 추가 자원이 무엇인지도 파악하는 것이 필요하다.

넷째, 도전과 장애물을 식별하자. 목표를 달성하는 과정에서 우리는 다양한 도전과 장애물을 마주하게 된다. 현재 우리가 직면하고 있는 어려움이 무엇인지 명확히 파악하고, 이를 해결하기 위한 방법을 모색하자.

도전과 장애물은 우리를 성장하게 만드는 중요한 요소이므로, 이를 극복하는 법을 배우는 것이 중요하다.

다섯째, 피드백을 수용하자. 현재 상황을 정확히 파악하기 위해서는 주변 사람들의 피드백을 수용하는 것이 중요하다. 가족, 친구, 동료 등 신뢰할 수 있는 사람들에게 조언을 구하고, 그들의 피드백을 진지하게 받아들이자. 이를 통해 우리는 자신의 위치를 객관적으로 파악할 수 있고, 더 나은 결정을 내릴 수 있다.

여섯째, 감정 상태를 점검하자. 우리의 감정 상태는 현재 상황에 큰 영향을 미친다. 스트레스, 불안, 만족감 등 현재 우리가 느끼는 감정을 솔직하게 점검하고, 이를 관리하는 방법을 찾아보자. 긍정적인 감정은 우리의 동기부여를 높이고, 부정적인 감정은 우리의 성과를 저해할 수 있다. 따라서, 감정 상태를 잘 관리하는 것이 중요하다.

결국, 현재 상황을 분석하는 것은 우리에게 중요한 통찰을 제공하고, 앞으로 나아갈 방향을 설정하는 데 도움이 된다. 자신의 위치와 성취, 외부 환경, 자원과 역량, 도전과 장애물, 피드백, 그리고 감정 상태를 종합적으로 고려하여 현재 상황을 정확히 파악하자. 이를 통해 우리는 더 나은 결정을 내리고, 목표를 향해 효과적으로 나아갈 수 있을 것이다.

현재 상황을 분석하는 과정에서 얻은 통찰을 바탕으로, 우리는 더 나은 미래를 계획할 수 있다. 지금 이 순간의 위치를 명확히 이해하고, 이를 토대로 성장과 발전을 이루어나가자. 그리하여 더 밝고 희망찬 내일을 향해 나아가자.

과거와 현재 미래를 정리정돈 하자

*현재의 강점과 약점 파악하기

자신의 강점과 약점을 파악하는 것은 개인적 성장과 발전에 매우 중요한 과정이다. 강점을 최대한 활용하고 약점을 보완해 나가는 과정에서 우리는 더욱 효과적이고 만족스러운 삶을 살아갈 수 있다. 현재의 강점과 약점을 파악하기 위한 몇 가지 방법을 살펴보자.

먼저, 자신의 성과를 되돌아보자. 과거에 성공적으로 완수한 프로젝트나 업무를 떠올리며 어떤 상황에서 가장 큰 성과를 냈는지, 어떤 능력이나 자질이 그 성과에 기여했는지 분석해보자. 예를 들어, 리더십을 발휘해서 팀을 이끌어 성공한 경험이 있다면, 리더십이 강점일 수 있다.

또한, 피드백을 수용하자. 주변 사람들, 특히 가족, 친구, 동료로부터 피드백을 구하는 것이 좋다. 그들이 생각하는 나의 강점을 듣고 이를 통해 자신의 강점을 더욱 명확히 파악할 수 있다. 다른 사람들이 자주 언급하는 긍정적인 특성을 유심히 듣자.

자신이 즐기는 활동도 중요한 단서가 된다. 어떤 활동을 할 때 가장 즐겁고 몰입할 수 있는지 생각해 보자. 즐기면서도 잘 해내는 활동은 자신의 강점을 반영하는 경우가 많다. 예를 들어, 창의적인 작업을 즐기고 자주 좋은 결과를 얻는다면, 창의력이 강점일 수 있다.

성격과 행동을 분석하는 것도 도움이 된다. 자신이 자주 보이는 행동 패턴과 성격 특성을 분석해 보자. 일관되게 나타나는 긍정적인 행동은 강점일 가능성이 높다. 예를 들어, 문제 해결 능력이 뛰어나고 복잡한 상황에서도 차분하게 해결책을 찾아내는 성격이라면, 문제 해결 능력이 강점일 수 있다.

약점을 파악하는 방법도 여러 가지가 있다. 과거에 실패했거나 어려움을 겪었던 상황을 떠올리며 어떤 이유로 어려움을 겪었는지, 무엇이 부족했는지 분석해보자. 예를 들어, 시간 관리에 실패하여 중요한 일을 제때 완료하지 못한 경험이 있다면, 시간 관리가 약점일 수 있다.

솔직한 자기 평가도 중요하다. 자신의 행동과 성과에 대해 솔직하게 평가해 보자. 주관적인 평가보다는 객관적인 시각에서 자신의 부족한 점을 파악하는 것이 필요하다. 자기 평가를 통해 자주 반복되는 실수나 부족한 부분을 확인할 수 있다.

타인의 비판을 수용하는 것도 약점을 파악하는 데 도움이 된다. 주변 사람들로부터 받은 비판이나 건설적인 피드백을 받아들이자. 타인의 비판 속에서 자신의 약점을 발견할 수 있는 경우가 많다. 비판을 방어적으로 받아들이지 말고, 개선의 기회로 삼자.

불편한 상황을 분석하는 것도 중요하다. 자신이 자주 불편하거나 어려움을 느끼는 상황을 분석해 보자. 어떤 상황에서 스트레스를 많이 받는지, 무엇이 부족하여 그 상황이 어려운지 파악해보자. 예를 들어, 대인관계에서 자주 불편함을 느낀다면, 커뮤니케이션 능력이 약점일 수 있다.

강점을 최대한 활용하고 약점을 보완하는 것이 중요하다. 강점을 활용하여 더 큰 성과를 내고, 약점을 개선하기 위해 필요한 학습과 훈련을 받자. 자신을 꾸준히 발전시키고, 강점과 약점을 균형 있게 관리할 때, 우리는 더욱 성장하고 성공할 수 있다.

자신의 강점과 약점을 정확히 파악하는 과정은 꾸준한 자기 성찰과 피드백 수용을 통해 이루어진다. 이를 통해 우리는 더 나은 자신을 만들어가며, 목표를 향해 효과적으로 나아갈 수 있다.

과거와 현재 미래를 정리정돈 하자

*현재 목표 설정과 우선순위

인생에서 목표를 설정하고 우선순위를 정하는 것은 매우 중요한 과정이다. 목표를 명확히 설정하고, 그 목표를 달성하기 위한 구체적인 계획을 세우며, 우선순위를 정하는 것은 우리의 시간을 효율적으로 사용하고, 성취감을 높이는 데 큰 도움이 된다. 다음은 현재 목표를 설정하고 우선순위를 정하는 데 도움이 되는 몇 가지 방법이다.

먼저, 자신의 가치관과 장기적인 비전을 명확히 하자. 목표를 설정하기 전에 자신의 가치관과 삶의 방향을 먼저 생각해보자. 내가 진정으로 중요하게 여기는 것은 무엇인가? 장기적으로 어떤 사람이 되고 싶은가? 이러한 질문에 대한 답을 찾는 것이 목표를 설정하는 첫 걸음이다.

다음으로, 구체적이고 측정 가능한 목표를 설정하자. 목표는 구체적이고 측정 가능해야 한다. 단순히 "성공하고 싶다"라는 목표보다는 "올해 말까지 특정 프로젝트를 완료하겠다" 또는 "다음 6개월 안에 5kg 감량하겠다"와 같이 명확하고 구체적인 목표를 세우는 것이 좋다. 이렇게 하면 목표 달성을 위한 구체적인 계획을 세우기 쉬워진다.

목표를 설정한 후에는 이를 달성하기 위한 세부 계획을 세우자. 목표를 작게 쪼개어 단계별로 실천 가능한 계획을 세우는 것이 중요하다. 예를 들어, 프로젝트를 완료하기 위한 목표를 세웠다면, 프로젝트의 각 단계를 세분화하고, 각 단계마다 구체적인 행동 계획을 수립하자.

우선순위를 정하는 것도 목표 달성에 있어서 중요한 부분이다. 모든 목표를 한꺼번에 달성하려고 하면 오히려 혼란스럽고 비효율적일 수 있다. 현재 가장 중요한 목표가 무엇인지 생각해보고, 우선순위를 정하자. 이를 위해 에이젠하워 매트릭스와 같은 도구를 활용할 수 있다. 중요한 목표와 긴급한 목표를 구분하여, 가장 중요한 목표에 먼저 집중하자.

일정한 주기로 목표를 점검하고 조정하는 것도 필요하다. 목표를 설정하고 계획을 세운 후에는 주기적으로 목표를 점검하고, 필요에 따라 조정하자. 목표 달성에 진척이 있는지, 계획이 효과적으로 작동하는지 평가하고, 필요한 경우 계획을 수정하거나 새로운 전략을 세우는 것이 중요하다.

자신의 목표 달성 과정을 기록하는 것도 좋은 방법이다. 목표를 달성하기 위해 어떤 노력을 했는지, 어떤 성과를 이루었는지 기록하면, 자신을 더욱 동기부여하고 성취감을 높일 수 있다. 또한, 기록을 통해 자신의 발전 과정을 확인하고, 더 나은 계획을 세울 수 있다.

목표를 설정하고 우선순위를 정할 때, 자신의 건강과 휴식도 고려하자. 목표 달성에만 집중하다 보면 건강을 소홀히 할 수 있다. 그러나 건강은 모든 활동의 기초이므로, 규칙적인 운동, 충분한 수면, 균형 잡힌 식사를 통해 신체적, 정신적 건강을 유지하는 것이 중요하다.

결국, 현재 목표를 설정하고 우선순위를 정하는 과정은 자신의 가치관과 비전을 명확히 하고, 구체적이고 측정 가능한 목표를 세우며, 이를 달성하기 위한 세부 계획을 수립하고, 주기적으로 점검하는 것이다. 이러한 과정을 통해 우리는 목표를 효과적으로 달성하고, 더 나은 삶을 살아갈 수 있다.

과거와 현재 미래를 정리정돈 하자

*과거 경험의 회고

인생은 수많은 경험으로 이루어져 있다. 과거의 경험은 우리를 형성하는 중요한 요소이며, 우리의 현재와 미래를 만드는 밑바탕이 된다. 과거를 되돌아보고 그 속에서 교훈을 얻는 것은 자신을 더 깊이 이해하고 성장하는 데 큰 도움이 된다. 과거 경험의 회고를 통해 얻을 수 있는 몇 가지 교훈에 대해 이야기해보자.

어린 시절의 기억을 떠올리면, 부모님과 함께했던 소중한 순간들이 떠오른다. 부모님의 사랑과 보호 속에서 자라면서 배운 것들은 지금의 나를 만든 중요한 요소이다. 부모님이 가르쳐준 가치관과 원칙은 내 삶의 지침이 되었으며, 그들의 희생과 노력을 통해 나는 감사와 존경의 의미를 배웠다. 어린 시절의 경험은 나에게 사랑과 가족의 중요성을 일깨워주었다.

학교 시절에는 친구들과의 우정과 학업에서의 도전이 큰 비중을 차지했다. 친구들과 함께 웃고 울며 나누었던 시간들은 나에게 소중한 추억으로 남아 있다. 때로는 다툼도 있었지만, 그 과정에서 타인을 이해하고 배려하는 법을 배웠다. 학업에서는 목표를 세우고 노력하는 과정에서 성취감을 느꼈고, 실패를 통해 인내와 끈기의 가치를 깨달았다. 학교 시절의 경험은 나에게 인간관계의 중요성과 끊임없는 자기 발전의 필요성을 가르쳐주었다.

대학생 시절, 처음으로 독립 생활을 시작하면서 많은 것을 배웠다. 새로운 환경에서의 도전과 변화는 나를 더욱 성숙하게 만들었다. 스스로 문제를 해결하고, 책임감을 가지고 행동하는 법을 익히면서 자립심과 자신감을 얻었다. 다양한 사람들과의 만남을 통해 넓은 시야를 가지게 되었고, 여러 활동을 통해 나의 잠재력을 발견할 수 있었다. 대학 시절의 경험은 나에게 독립심과 자기 주도적인 삶의 중요성을 일깨워주었다.

직장 생활을 시작하면서 나는 더 많은 책임과 도전에 직면하게 되었다. 처음 사회에 나와서 겪었던 어려움들은 나를 더욱 강하게 만들었다. 동료들과 협력하고, 상사와 소통하며, 고객과의 관계를 형성하는 과정에서 많은 것을 배웠다. 특히, 팀워크의 중요성을 깨닫고, 리더십을 발휘하는 법을 익히게 되었다. 직장 생활의 경험은 나에게 조직 내에서의 협력과 소통의 중요성을 가르쳐주었다.

그러나 모든 경험이 긍정적이지는 않았다. 인생의 여정 속에서 실패와 좌절을 겪은 순간들도 있었다. 중요한 프로젝트에서 실패했거나, 인간관계에서의 갈등을 경험한 적도 있다. 하지만 이러한 실패와 좌절은 오히려 나를 더 단단하게 만들었다. 실패를 통해 나는 자신의 부족함을 인정하고, 더 나은 방향으로 나아가기 위한 교훈을 얻었다. 좌절의 순간들은 나에게 성장과 발전의 기회가 되었다.

과거 경험의 회고는 단순히 추억을 떠올리는 것이 아니다. 그것은 나의 삶을 돌아보고, 그 속에서 얻은 교훈을 현재와 미래에 적용하는 과정이다. 과거의 경험을 통해 우리는 자신을 더 깊이 이해하고, 더 나은 선택을 할 수 있게 된다. 과거의 교훈을 잊지 않고, 항상 성장하고 발전하는 자세를 유지하는 것이 중요하다.

결국, 과거 경험의 회고는 우리를 성장하게 만드는 중요한 과정이다. 모든 경험은 나에게 소중한 교훈을 주었고, 나를 더 나은 사람으로 만들어 주었다. 앞으로도 나는 과거의 경험을 소중히 여기며, 그것을 바탕으로 더 나은 미래를 만들어 나갈 것이다. 과거의 경험을 통해 배운 것들을 잊지 않고, 항상 성장하고 발전하는 삶을 살아가자.

과거와 현재 미래를 정리정돈 하자

*장기적 목표와 단기적 계획 수립

성공적인 인생을 살아가기 위해서는 장기적인 목표와 단기적인 계획을 균형 있게 수립하는 것이 중요하다. 장기적 목표는 우리의 삶에 방향성을 제시하며, 단기적 계획은 그 목표를 달성하기 위한 구체적인 행동 지침을 제공한다. 다음은 장기적 목표와 단기적 계획을 효과적으로 수립하기 위한 방법들이다.

먼저, 자신의 가치와 비전을 명확히 하자. 자신의 가치관과 삶의 방향을 먼저 생각해보자. 내가 진정으로 중요하게 여기는 것은 무엇인가? 장기적으로 어떤 사람이 되고 싶은가? 이러한 질문에 대한 답을 찾는 것이 목표를 설정하는 첫 걸음이다.

다음으로, 구체적이고 측정 가능한 목표를 설정하자. 목표는 구체적이고 측정 가능해야 한다. 단순히 "성공하고 싶다"라는 목표보다는 "내가 원하는 직업에서 리더가 되겠다"와 같이 명확한 목표를 세우자. 이렇게 하면 목표 달성을 위한 구체적인 계획을 세우기 쉬워진다.

목표를 설정한 후에는 이를 달성하기 위한 세부 계획을 세우자. 목표를 작게 쪼개어 단계별로 실천 가능한 계획을 세우는 것이 중요하다. 예를 들어, 프로젝트를 완료하기 위한 목표를 세웠다면, 프로젝트의 각 단계를 세분화하고, 각 단계마다 구체적인 행동 계획을 수립하자.

우선순위를 정하는 것도 목표 달성에 있어서 중요한 부분이다. 모든 목표를 한꺼번에 달성하려고 하면 오히려 혼란스럽고 비효율적일 수 있다. 현재 가장 중요한 목표가 무엇인지 생각해보고, 우선순위를 정하자. 이를 위해 에이젠하워 매트릭스와 같은 도구를 활용할 수 있다. 중요한 목표와 긴급한 목표를 구분하여, 가장 중요한 목표에 먼저 집중하자.

일정한 주기로 목표를 점검하고 조정하는 것도 필요하다. 목표를 설정하고 계획을 세운 후에는 주기적으로 목표를 점검하고, 필요에 따라 조정하자. 목표 달성에 진척이 있는지, 계획이 효과적으로 작동하는지 평가하고, 필요한 경우 계획을 수정하거나 새로운 전략을 세우는 것이 중요하다.

자신의 목표 달성 과정을 기록하는 것도 좋은 방법이다. 목표를 달성하기 위해 어떤 노력을 했는지, 어떤 성과를 이루었는지 기록하면, 자신을 더욱 동기부여하고 성취감을 높일 수 있다. 또한, 기록을 통해 자신의 발전 과정을 확인하고, 더 나은 계획을 세울 수 있다.

목표를 설정하고 우선순위를 정할 때, 자신의 건강과 휴식도 고려하자. 목표 달성에만 집중하다 보면 건강을 소홀히 할 수 있다. 그러나 건강은 모든 활동의 기초이므로, 규칙적인 운동, 충분한 수면, 균형 잡힌 식사를 통해 신체적, 정신적 건강을 유지하는 것이 중요하다.

결국, 현재 목표를 설정하고 우선순위를 정하는 과정은 자신의 가치관과 비전을 명확히 하고, 구체적이고 측정 가능한 목표를 세우며, 이를 달성하기 위한 세부 계획을 수립하고, 주기적으로 점검하는 것이다. 이러한 과정을 통해 우리는 목표를 효과적으로 달성하고, 더 나은 삶을 살아갈 수 있다.

과거와 현재 미래를 정리정돈 하자

*미래를 위한 준비와 전략

미래를 대비하기 위해서는 철저한 준비와 체계적인 전략이 필요하다. 우리의 삶은 끊임없이 변화하고, 예상치 못한 도전과 기회가 다가온다. 이러한 변화에 유연하게 대처하고, 더 나은 미래를 만들어가기 위해 다음과 같은 준비와 전략이 필요하다.

먼저, 자신의 장기적 목표를 명확히 하자. 목표는 우리의 삶에 방향성을 제시하며, 동기부여의 원천이 된다. 자신이 진정으로 이루고 싶은 것이 무엇인지 깊이 생각해보고, 그것을 명확하게 설정하자. 구체적이고 현실적인 목표를 세우는 것이 중요하다.

다음으로, 꾸준한 학습과 자기 계발에 투자하자. 미래를 대비하기 위해서는 새로운 지식과 기술을 습득하는 것이 필수적이다. 빠르게 변화하는 세상에서 최신 정보를 지속적으로 업데이트하고, 필요한 기술을 익히는 노력을 아끼지 말자. 독서, 온라인 강의, 세미나 참여 등을 통해 꾸준히 학습하자.

또한, 경제적 준비도 소홀히 하지 말자. 재정적인 안정은 우리의 삶에 큰 영향을 미친다. 예산을 세우고 지출을 관리하며, 저축과 투자를 통해 미래를 대비하자. 비상금을 마련하고, 장기적인 재정 계획을 수립하는 것도 중요하다. 경제적 준비는 우리가 예상치 못한 상황에 대비할 수 있도록 도와준다.

네트워크를 구축하는 것도 중요한 전략 중 하나다. 다양한 사람들과의 관계를 형성하고 유지하는 것은 우리의 성장과 발전에 큰 도움이 된다. 직장 내 동료, 업계 전문가, 멘토 등과의 네트워크를 통해 새로운 기회를 발견하고, 필요한 조언을 구할 수 있다. 인간관계는 우리의 삶을 풍요롭게 만들고, 어려운 상황에서도 큰 힘이 된다.

자신의 건강을 관리하는 것도 필수적이다. 신체적, 정신적 건강은 모든 활동의 기초가 된다. 규칙적인 운동, 균형 잡힌 식사, 충분한 수면을 통해 건강을 유지하자. 또한, 스트레스 관리와 마음의 평화를 유지하는 방법을 찾는 것도 중요하다. 건강한 몸과 마음이야말로 우리가 미래를 준비하는 데 필요한 에너지를 제공한다.

미래를 위한 준비와 전략의 또 다른 중요한 요소는 유연성과 적응력이다. 예상치 못한 변화와 도전에 유연하게 대처하는 능력을 길러야 한다. 계획이 변경되더라도 긍정적인 태도로 새로운 상황에 적응하는 것이 중요하다. 이를 위해 다양한 상황을 시뮬레이션해보고, 문제 해결 능력을 기르는 연습을 하자.

마지막으로, 정기적으로 목표와 전략을 점검하고 조정하자. 세운 목표와 전략이 여전히 유효한지 평가하고, 필요에 따라 수정하자. 주기적인 점검은 우리가 올바른 방향으로 나아가고 있는지 확인할 수 있게 해준다. 목표를 달성하는 과정에서 작은 성취도 축하하고, 동기부여를 유지하는 것이 중요하다.

결국, 미래를 위한 준비와 전략은 우리의 삶을 더욱 풍요롭고 안정되게 만들어 준다. 장기적 목표를 설정하고, 꾸준한 학습과 자기 계발, 경제적 준비, 네트워크 구축, 건강 관리, 유연성과 적응력, 그리고 정기적인 점검과 조정을 통해 우리는 더 나은 미래를 만들어갈 수 있다. 지금 이 순간부터 미래를 위한 준비를 시작하자.

과거와 현재 미래를 정리정돈 하자

*변화에 대한 유연한 적응

현대 사회는 끊임없이 변화하고 있으며, 이러한 변화에 유연하게 적응하는 능력은 성공과 행복을 위해 필수적이다. 변화는 종종 불안과 두려움을 동반하지만, 이를 받아들이고 적응하는 과정에서 우리는 더 큰 성장을 이룰 수 있다. 변화에 유연하게 적응하기 위한 몇 가지 방법을 살펴보자.

먼저, 열린 마음을 가지자. 변화는 새로운 기회를 의미할 수 있다. 변화를 두려워하기보다는 호기심과 긍정적인 태도로 받아들이는 것이 중요하다. 열린 마음을 통해 우리는 새로운 경험과 지식을 습득하고, 더욱 풍요로운 삶을 살 수 있다. 새로운 아이디어와 관점을 받아들이고, 변화가 가져올 긍정적인 측면을 바라보자.

다음으로, 학습과 자기 계발에 힘쓰자. 변화하는 환경에 맞춰 끊임없이 배우고 성장하는 자세를 유지하자. 새로운 기술이나 지식을 습득하기 위해 적극적으로 학습 기회를 찾고, 자신의 역량을 향상시키는 데 투자하자. 이를 통해 우리는 변화에 더 잘 대비하고, 새로운 상황에서도 능숙하게 대처할 수 있다.

유연성을 기르는 것도 중요하다. 계획이 변경되거나 예상치 못한 상황이 발생했을 때, 이를 받아들이고 유연하게 대처하는 능력을 기르자. 계획이 틀어지더라도 포기하지 않고, 새로운 방법을 찾아보는 것이 필요하다. 유연한 사고방식을 통해 우리는 문제를 더 효과적으로 해결하고, 변화에 더 잘 적응할 수 있다.

스트레스 관리도 필수적이다. 변화는 종종 스트레스를 동반하기 때문에 이를 효과적으로 관리하는 방법을 찾아야 한다. 명상, 운동, 취미 생활 등을 통해 스트레스를 해소하고 마음의 평화를 유지하자. 스트레스를 잘 관리하면 변화에 대한 두려움도 줄어들고, 더 긍정적으로 대처할 수 있다.

지원 시스템을 구축하자. 변화에 적응하는 과정에서 주변 사람들의 지원과 격려는 큰 도움이 된다. 가족, 친구, 동료와 같은 신뢰할 수 있는 사람들과의 관계를 유지하고, 그들과 경험과 감정을 나누자. 함께 변화에 대처하는 과정에서 서로에게 힘이 될 수 있다. 또한 멘토나 전문가의 조언을 구하는 것도 좋은 방법이다.

목표를 유연하게 설정하는 것도 중요하다. 장기적인 목표를 설정할 때 변화하는 환경에 맞춰 목표를 조정할 수 있는 여지를 두자. 구체적이면서도 유연한 목표를 설정하면 변화에도 불구하고 꾸준히 나아갈 수 있다. 목표를 달성하기 위한 다양한 방법을 모색하고, 필요에 따라 전략을 수정하는 것이 필요하다.

마지막으로, 긍정적인 태도를 유지하자. 변화는 성장의 기회로 작용할 수 있다. 긍정적인 태도를 유지하며 변화를 받아들이고, 그 과정에서 얻을 수 있는 배움과 성장을 기대하자. 어려운 상황에서도 긍정적인 면을 찾고, 희망을 잃지 않는 것이 중요하다. 긍정적인 태도는 우리를 더욱 강하게 만들고, 변화에 더욱 잘 적응할 수 있도록 도와준다.

결국, 변화에 유연하게 적응하는 능력은 우리의 삶을 더욱 풍요롭고 의미 있게 만들어 준다. 열린 마음을 가지고, 꾸준히 학습하며, 유연성을 기르고, 스트레스를 관리하고, 지원 시스템을 구축하며, 유연한 목표를 설정하고, 긍정적인 태도를 유지하는 것이 변화에 유연하게 적응하는 핵심 요소이다. 이러한 방법들을 통해 우리는 변화하는 세상 속에서 더욱 강하고 지혜롭게 살아갈 수 있을 것이다.

과거와 현재 미래를 정리정돈 하자

*지속적인 성장과 발전을 위한 자기 점검

현대 사회는 빠르게 변화하고 있으며, 개인과 조직은 이러한 변화 속에서 끊임없이 성장하고 발전해야 한다. 이러한 성장과 발전의 핵심 요소 중 하나는 바로 자기 성찰이다. 자기 성찰은 자신을 깊이 들여다보고, 자신의 강점과 약점을 인식하며, 이를 바탕으로 더 나은 방향으로 나아가기 위한 과정이다.

자기 성찰은 먼저 자신에 대한 깊은 이해를 제공한다. 우리는 일상 속에서 다양한 경험을 통해 배우고 성장하지만, 그 경험들을 통해 얻은 교훈을 제대로 이해하고 내면화하기 위해서는 반성의 시간이 필요하다. 이 시간을 통해 우리는 자신이 무엇을 잘하고 있는지, 어떤 부분에서 개선이 필요한지 명확히 알 수 있다. 이는 자기 이해의 첫걸음이며, 진정한 성장의 출발점이 된다.

또한, 자기 성찰은 목표 설정과 계획 수립에 중요한 역할을 한다. 자신의 현재 상태를 정확히 파악하면, 더 현실적이고 구체적인 목표를 세울 수 있다. 막연한 목표는 실행하기 어렵지만, 자기 성찰을 통해 구체화된 목표는 달성 가능성이 높아진다. 더불어 이러한 목표를 이루기 위한 구체적인 계획을 세우는 데에도 도움이 된다. 목표와 계획이 명확해지면, 우리는 더 집중적으로 노력할 수 있으며, 이는 결국 성과로 이어진다.

자기 성찰은 지속적인 학습과 개선의 기회를 제공한다. 우리는 누구나 실수를 한다. 중요한 것은 그 실수를 통해 무엇을 배우느냐이다. 자기 성찰은 실수를 통해 얻은 교훈을 체계적으로 분석하고, 이를 바탕으로 다음에는 더 나은 선택을 할 수 있도록 돕는다. 이 과정에서 우리는 자신의 한계를 극복하고, 새로운 역량을 개발하게 된다. 이는 개인의 성장뿐만 아니라 조직의 발전에도 큰 기여를 한다.

더 나아가, 자기 성찰은 건강한 인간관계를 형성하는 데에도 중요한 역할을 한다. 자신을 돌아보는 과정을 통해 우리는 타인과의 관계에서도 더 성숙한 태도를 취할 수 있게 된다. 자신의 행동이 타인에게 어떤 영향을 미치는지 이해하고, 이를 바탕으로 더 나은 상호작용을 하게 된다. 이는 개인적인 관계뿐만 아니라, 직장 내에서의 협업과 팀워크에도 긍정적인 영향을 미친다.

마지막으로, 자기 성찰은 내면의 평화를 가져다준다. 현대 사회는 경쟁과 스트레스가 많지만, 자기 성찰을 통해 우리는 자신의 감정을 더 잘 이해하고 조절할 수 있게 된다. 이는 정신적인 안정감을 주며, 더 나은 삶의 질을 누리는 데 도움을 준다.

결론적으로, 자기 성찰은 지속적인 성장과 발전을 위한 필수적인 과정이다. 자신을 깊이 이해하고, 현실적인 목표를 설정하며, 실수를 통해 배우고, 건강한 인간관계를 형성하며, 내면의 평화를 찾는 데 도움이 된다. 변화의 시대에서 우리는 자기 성찰을 통해 끊임없이 발전하고, 더 나은 미래를 만들어 나갈 수 있다. 자기 성찰은 단순한 반성이 아닌, 진정한 성장을 위한 중요한 도구이다.

살아서 느끼는 행복을 누리며 살자

*매일의 작은 행복 발견하기

매일의 작은 행복을 발견하는 일은 마치 숨어 있는 보물을 찾는 것과 비슷해요. 아침 햇살이 창문을 통해 부드럽게 들어와 얼굴을 어루만지는 순간, 하루가 시작된다는 것을 느낄 수 있죠. 따뜻한 커피 한 잔의 향기가 코끝을 간질이며 마음 깊숙이 평온함이 퍼져 나가는 그 순간, 우리는 소중한 행복을 맛보게 돼요.

출근길에 마주치는 사람들의 밝은 미소, 바람에 나부끼는 나뭇잎, 길가에 피어나는 작은 꽃들. 이러한 것들이 우리에게 작은 기쁨을 선사하죠. 바쁜 일상 속에서도 잠시 발걸음을 멈추고 주위를 둘러보면, 소소하지만 확실한 행복들이 우리 곁에 있는 것을 발견할 수 있어요.

하루 일과를 마치고 집에 돌아와 가족과 나누는 따뜻한 저녁 식사, 사랑하는 사람과 함께 보내는 소중한 시간, 그리고 잠들기 전 읽는 한 페이지의 책. 이런 순간들이 우리의 마음을 풍요롭게 만들고, 하루를 마무리하는 작은 행복이 되어줘요.

삶은 늘 크고 거창한 순간들로만 이루어지지 않아요. 오히려 작은 순간들이 모여 큰 행복을 만들어 가죠. 그러니 오늘도 주변의 작은 행복들을 놓치지 말고, 마음 속에 하나씩 담아보세요. 그 작은 조각들이 모여 우리의 삶을 더욱 빛나게 해줄 테니까요.

자연 속에서 발견하는 작은 행복도 있어요. 공원에서 산책하며 느끼는 신선한 공기, 나무 사이로 비치는 햇살, 새들의 지저귐. 이런 자연의 소리와 풍경이 마음을 차분하게 만들며, 순간의 행복을 선사해요.

또한, 새로운 취미를 발견하고 그것에 몰두하는 시간도 큰 행복을 가져다줘요. 그림을 그리거나 악기를 연주하거나, 글을 쓰는 등 자신의 열정을 담아 무언가를 만들어내는 그 과정에서 우리는 소중한 행복을 느낄 수 있어요. 새로운 것을 배우고 익히는 즐거움은 우리의 삶을 더욱 다채롭게 만들어줘요.

사람과의 관계에서도 작은 행복을 찾을 수 있어요. 친구와의 따뜻한 대화, 가족과 함께하는 시간, 연인과의 사랑. 이런 관계들이 우리의 삶을 지탱해주는 든든한 버팀목이 되죠. 서로에게 마음을 나누고, 이해하고, 응원하는 그 순간들이 우리에게 깊은 행복을 안겨줘요.

결국, 행복은 멀리 있지 않아요. 우리의 일상 속, 주변에 늘 존재하고 있죠. 중요한 것은 그 작은 순간들을 놓치지 않고, 마음 속에 담아두는 것이에요. 오늘도 주변을 둘러보며 작은 행복들을 발견해 보세요. 그것들이 모여 우리의 삶을 더욱 빛나게 할 테니까요.

살아서 느끼는 행복을 누리며 살자

*감사하는 마음 가지기

감사하는 마음을 가지는 것은 우리의 삶을 풍요롭게 만들고, 더 나은 사람이 되게 하는 힘을 가지고 있어요. 감사의 마음은 우리가 가진 것들에 대해 더 깊이 인식하게 하고, 주변 사람들에게도 긍정적인 영향을 미쳐요.

아침에 눈을 뜨며 새 하루를 맞이할 수 있는 것에 감사하는 마음을 가져보세요. 따뜻한 침대에서 일어날 수 있는 것, 창문을 통해 들어오는 햇살, 그리고 우리가 숨쉴 수 있는 맑은 공기. 이러한 것들이 당연한 것이 아니라는 것을 깨닫고 감사하는 마음을 가지는 것만으로도 하루의 시작이 달라질 수 있어요.

가족과 친구들에게 감사하는 마음을 표현하는 것도 중요해요. 가까이 있는 사람들의 사랑과 지원이 우리에게 얼마나 큰 힘이 되는지 자주 잊곤 해요. 하지만 그들의 존재가 우리에게 얼마나 큰 축복인지, 그들이 우리의 삶에 얼마나 큰 기쁨을 주는지에 대해 생각해보면 자연스레 감사하는 마음이 생겨나요. 작은 선물이나 따뜻한 말 한마디로 그들에게 고마움을 전할 수 있어요.

감사하는 마음은 우리의 태도를 변화시키기도 해요. 힘든 상황에서도 긍정적인 면을 보게 하고, 작은 것에서 기쁨을 찾게 해요. 어려움 속에서도 감사할 이유를 찾으면, 그것이 우리의 마음을 더 강하게 만들고, 극복할 수 있는 힘을 줘요.

또한, 감사하는 마음은 우리의 건강에도 긍정적인 영향을 미쳐요. 연구에 따르면, 감사하는 마음을 가진 사람들은 스트레스를 덜 받고, 더 행복하며, 심지어 면역 체계도 더 강하다고 해요. 매일 감사하는 마음을 가지는 연습을 통해 우리는 더 건강하고 행복한 삶을 살 수 있어요.

자신에게도 감사하는 마음을 가져보세요. 지금까지 살아

온 시간 동안의 노력과 인내, 그리고 성취에 대해 스스로에게 고마움을 느끼는 것. 자기 자신을 인정하고, 사랑하는 마음을 가지는 것은 매우 중요해요. 자신에게 감사하는 마음을 가지면 더 나은 자신을 만들기 위한 동기부여가 되기도 해요.

감사는 우리의 일상을 특별하게 만들어요. 우리가 가진 것들, 만나는 사람들, 경험하는 모든 것들에 대해 감사하는 마음을 가지면, 삶이 얼마나 풍성해지는지 느낄 수 있을 거예요. 오늘도 감사하는 마음을 품고, 우리의 삶을 더욱 빛나게 만들어 보세요.

살아서 느끼는 행복을 누리며 살자

*현재 순간에 집중하기

현재 순간에 집중하는 것은 우리 삶에 깊은 의미와 평온을 가져다줍니다. 우리는 종종 과거의 후회와 미래의 걱정 속에 빠져, 지금 이 순간의 아름다움을 놓치곤 해요. 하지만 현재에 집중하는 것은 우리가 진정한 행복과 만족을 느낄 수 있는 중요한 열쇠입니다.

아침에 눈을 뜨고, 창문을 열어 신선한 공기를 들이마실 때, 그 순간의 상쾌함을 온전히 느껴보세요. 아침 햇살이 얼굴을 어루만지는 따뜻한 감각, 새들의 지저귀는 소리, 공기의 상쾌함. 이런 작은 순간들이 주는 기쁨을 놓치지 않는 것이 중요해요.

일을 하거나 공부를 할 때에도 현재 순간에 집중하는 연습을 해보세요. 눈앞에 있는 일에 완전히 몰입하며, 지금 이 순간에 최선을 다하는 것. 그러면 더 큰 성취감을 느낄 수 있고, 스트레스도 줄어들게 될 거예요.

식사 시간에도 현재 순간에 집중하는 것이 중요해요. 음식을 천천히 음미하며, 각 재료의 맛과 향을 느껴보세요. 함께 식사하는 사람들과의 대화에 귀 기울이고, 그들과의 소중한 시간을 만끽해보세요. 이렇게 작은 순간들에 집중하는 것이 일상 속에서 큰 행복을 가져다줍니다.

자연 속에서 현재에 집중하는 것은 마음을 평온하게 만들고, 스트레스를 해소하는 데 도움이 돼요. 산책을 하며 나무와 꽃, 바람 소리, 새들의 지저귐에 주의를 기울여보세요. 자연의 아름다움과 평화로움에 집중하면, 우리의 마음도 한결 가벼워지고, 편안해질 거예요.

현재 순간에 집중하는 것은 또한 인간관계를 더욱 깊고 의미 있게 만들어줍니다. 가족이나 친구, 연인과 함께하는 시간에 온전히 그들과 함께하는 것. 그들의 이야기에 귀 기울이고, 감정을 함께 나누는 것이 중요해요. 이렇게 현재에 집중하면, 우리는 더 깊은 유대감을 형성할 수 있어요.

명상이나 요가 같은 활동도 현재에 집중하는 데 큰 도움이 됩니다. 호흡에 집중하며, 몸과 마음의 상태를 느껴보세요. 이런 활동들은 우리가 현재에 더 잘 집중할 수 있도록 도와주며, 마음의 평화를 가져다줍니다.

결국, 현재 순간에 집중하는 것은 우리의 삶을 풍요롭게 만드는 중요한 방법이에요. 과거에 머물거나 미래를 걱정하기보다, 지금 이 순간을 온전히 느끼고, 그 안에서 행복을 찾는 것. 오늘도 현재에 집중하며, 우리의 삶을 더욱 빛나게 만들어 보세요.

살아서 느끼는 행복을 누리며 살자

*자연과의 교감

자연과의 교감은 우리에게 깊은 평온과 위안을 주는 특별한 경험이에요. 현대 사회의 바쁜 일상 속에서 우리는 종종 자연과의 연결을 잊고 지내지만, 자연은 언제나 우리 곁에서 조용히, 그러나 강력하게 우리를 지켜주고 있어요.

숲 속을 걷다 보면, 발밑에서 느껴지는 부드러운 흙의 촉감, 나뭇잎 사이로 스며드는 따스한 햇살, 새들의 노랫소리가 우리의 마음을 가득 채워요. 이 순간 우리는 자연과 하나가 되어 숨을 고르고, 일상의 스트레스를 잊을 수 있어요. 나무 한 그루 한 그루가 들려주는 이야기에 귀를 기울이면, 그 속에서 느껴지는 고요함과 생명의 힘을 체감할 수 있어요.

바다를 마주할 때도 마찬가지에요. 파도가 해변에 부딪치는 소리, 짭조름한 바다 냄새, 발끝을 간지럽히는 모래의 감촉. 이런 모든 요소들이 우리에게 잔잔한 위로를 건네요. 바다를 바라보며, 우리는 삶의 파도와도 같은 우리 자신을 돌아보고, 그 안에서 잃어버린 평화를 되찾을 수 있어요.

산을 오르며 땀을 흘릴 때, 우리는 자연의 웅장함과 우리의 작음을 동시에 느끼게 돼요. 힘들게 정상에 올랐을 때 펼쳐지는 광활한 풍경은 우리의 노력과 인내에 대한 보상처럼 느껴져요. 그 순간의 성취감과 자연이 주는 경이로움이 우리의 가슴을 뛰게 하죠. 자연은 언제나 우리에게 도전과 성취, 그리고 그 속에서 오는 깊은 기쁨을 선물해요.

계절의 변화를 느끼며 자연과 교감하는 것도 특별한 경험이에요. 봄의 따스한 햇살과 새싹의 푸르름, 여름의 강렬한 태양과 시원한 바람, 가을의 낙엽과 풍요로움, 겨울의 차가운 공기와 눈의 고요함. 각 계절이 주는 독특한 감각과 풍경 속에서 우리는 자연의 순환과 그 속에 살아가는 우리의 모습을 발견하게 돼요.

도심 속에서도 자연과 교감할 수 있어요. 공원의 벤치에 앉아 책을 읽거나, 강변을 따라 산책을 하며 느끼는 자연의 기운은 우리에게 새로운 에너지를 불어넣어줘요. 작은 꽃 한 송이, 나무 한 그루, 그 속에서도 자연의 아름다움과 생명의 힘을 발견할 수 있어요.

자연과의 교감은 우리의 몸과 마음을 치유하는 힘을 가지고 있어요. 현대인의 삶은 종종 빠르고, 스트레스가 많지만, 자연 속에서 우리는 느림과 여유, 그리고 깊은 평화를 찾을 수 있어요. 자연과의 교감을 통해 우리는 삶의 진정한 의미를 발견하고, 더 나은 내일을 향해 나아갈 수 있어요.

오늘도 자연과 함께하는 시간을 가져보세요. 자연이 주는 위로와 기쁨을 마음껏 누리며, 그 속에서 잃어버린 나 자신을 찾아보세요. 자연은 언제나 우리를 기다리고 있으니까요.

살아서 느끼는 행복을 누리며 살자

*건강한 삶을 위한 신체 관리

건강한 삶을 위해 신체를 관리하는 것은 우리가 더 오래, 더 행복하게 살아가는 데 필수적인 요소입니다. 우리의 몸은 하나뿐인 소중한 자산이기에, 그 소중함을 인식하고 제대로 돌보는 것이 중요해요. 이를 위해 우리는 다양한 방법으로 신체를 관리할 수 있습니다.

우선, 규칙적인 운동은 건강한 신체를 유지하는 데 핵심적인 역할을 해요. 매일 조금씩이라도 몸을 움직이는 습관을 들이는 것이 중요해요. 걷기, 달리기, 수영, 요가, 또는 자전거 타기와 같은 운동은 심장을 강화하고 근육을 탄탄하게 만들어 줍니다. 또한, 운동은 스트레스를 해소하고 기분을 좋게 만들어주는 엔도르핀을 분비시키기 때문에 정신 건강에도 큰 도움이 됩니다.

균형 잡힌 식사는 신체 관리의 또 다른 중요한 요소입니다. 신선한 과일과 채소, 적절한 단백질, 건강한 지방을 포함한 균형 잡힌 식단을 유지하는 것이 필요해요. 가공식품이나 설탕이 많이 든 음식은 피하고, 대신 자연 그대로의 식재료를 사용하는 것이 좋습니다. 충분한 수분 섭취도 잊지 말아야 해요. 물을 자주 마셔서 몸이 충분히 수분을 유지하도록 하는 것이 중요합니다.

충분한 수면 역시 건강한 신체를 유지하는 데 필수적이에요. 하루 동안 쌓인 피로를 풀어주고 몸의 회복을 돕기 위해, 규칙적인 수면 패턴을 유지하는 것이 필요해요. 성인은 평균적으로 하루에 7-9시간의 수면이 필요하다고 해요. 잠자리에 들기 전에는 전자기기 사용을 줄이고, 편안한 환경에서 충분한 휴식을 취하는 것이 중요해요.

스트레스 관리도 건강한 삶을 위해 신경 써야 할 부분입니다. 과도한 스트레스는 신체와 정신에 부정적인 영향을 미칠 수 있어요. 명상이나 호흡 운동, 그리고 취미 활동 등을 통해 스트레스를 관리하는 것이 필요해요. 자신만의 스트레스 해소 방법을 찾아 실천하는 것이 중요합니다.

정기적인 건강 검진도 필수입니다. 몸의 상태를 주기적으로 점검하고, 필요한 예방 조치를 취하는 것이 건강을 지키는 데 큰 도움이 돼요. 조기에 발견되는 질병은 더 쉽게 치료할 수 있기 때문에, 정기 검진을 통해 건강 상태를 확인하는 것이 필요해요.

또한, 신체 활동만큼 중요한 것은 마음의 건강입니다. 긍정적인 생각과 태도를 유지하며, 주변 사람들과의 건강한 인간관계를 유지하는 것이 중요해요. 마음이 편안하면 몸도 자연스럽게 건강해져요. 사랑하는 사람들과의 시간, 웃음, 그리고 감사하는 마음을 통해 우리는 더 건강하고 행복한 삶을 살 수 있어요.

마지막으로, 일상 속 작은 습관들도 신체 건강에 큰 영향을 미칩니다. 올바른 자세를 유지하고, 장시간 앉아 있는 것을 피하며, 규칙적으로 스트레칭을 하는 것도 중요해요. 작은 습관들이 모여 큰 변화를 만들어낼 수 있습니다.

건강한 신체는 건강한 삶의 기초입니다. 몸과 마음을 함께 돌보며, 균형 잡힌 삶을 살아가는 것이 중요해요. 오늘도 자신의 건강을 위해 작은 변화부터 시작해 보세요. 건강한 신체와 함께하는 삶은 더욱 활기차고 행복할 테니까요.

살아서 느끼는 행복을 누리며 살자

*긍정적인 인간관계 형성

긍정적인 인간관계를 형성하는 것은 우리 삶을 풍요롭게 만들고, 정신적인 안정을 주는 중요한 요소예요. 인간관계는 우리의 행복과 만족에 큰 영향을 미치며, 삶의 다양한 순간에서 우리를 지탱해주는 든든한 버팀목이죠. 긍정적인 인간관계를 형성하기 위해 어떤 노력들이 필요한지 함께 살펴보아요.

우선, 진심 어린 소통이 중요해요. 상대방의 이야기에 귀 기울이고, 그들의 감정과 생각을 이해하려고 노력하는 자세가 필요해요. 대화를 나눌 때는 눈을 마주치고, 상대방의 말을 끊지 않으며, 경청하는 태도를 유지하는 것이 중요해요. 이러한 소통은 신뢰를 쌓는 기초가 되며, 서로에 대한 이해를 깊게 만들어 줘요.

또한, 존중과 배려는 긍정적인 관계를 형성하는 데 필수적이에요. 서로의 다름을 인정하고 존중하는 마음을 가지는 것이 중요해요. 타인의 의견이나 가치를 존중하며, 서로에게 상처 주는 말을 피하고, 상대방의 입장을 이해하려는 노력이 필요해요. 작은 배려가 쌓여 큰 신뢰와 애정을 만들어요.

감사의 마음을 표현하는 것도 잊지 말아야 해요. 상대방이 해준 작은 일들에도 고마움을 표현하는 것이 중요해요. 감사의 말 한마디가 상대방에게 큰 힘이 될 수 있으며, 관계를 더욱 단단하게 만들어 줘요. 칭찬과 격려도 마찬가지로 긍정적인 영향을 미쳐요. 상대방의 장점과 노력을 인정하고, 격려의 말을 아끼지 않는 것이 중요해요.

문제를 해결할 때는 건설적인 태도가 필요해요. 갈등이나 오해가 생겼을 때는 감정을 가라앉히고, 차분하게 대화를 나누는 것이 중요해요. 비난보다는 이해를, 공격보다는 협력을 추구하며 문제를 해결해 나가는 자세가 필요해요. 함께 문제를 해결하는 과정에서 서로에 대한 신뢰와 유대감이 더욱 깊어질 수 있어요.

또한, 시간을 함께 보내는 것도 중요한 요소예요. 가족, 친구, 연인과 함께하는 시간은 서로를 더욱 가깝게 만들어 줘요. 함께 하는 활동을 통해 공통의 추억을 만들고, 서로에 대한 이해와 애정을 키워나갈 수 있어요. 바쁜 일상 속에서도 시간을 내어 소중한 사람들과 함께하는 순간을 만들어 보세요.

서로의 성장을 응원하는 것도 긍정적인 관계를 형성하는데 큰 도움이 돼요. 상대방의 목표와 꿈을 지지하고, 그들이 성장할 수 있도록 격려하는 것이 필요해요. 서로의 성장을 응원하는 관계는 더 깊은 유대감과 존경을 만들어 줘요.

마지막으로, 진정성 있는 마음을 가지는 것이 중요해요. 가식이나 거짓이 아닌 진심으로 상대방을 대하는 것이 필요해요. 진정성 있는 마음은 상대방에게도 전달되며, 서로에 대한 신뢰를 더욱 굳건하게 만들어 줘요.

긍정적인 인간관계는 우리의 삶을 더욱 풍요롭게 하고, 행복을 가져다주는 소중한 자산이에요. 진심 어린 소통, 존중과 배려, 감사와 격려, 문제 해결, 함께 하는 시간, 서로의 성장 응원, 그리고 진정성 있는 마음을 통해 우리는 더 깊고 의미 있는 관계를 형성할 수 있어요. 오늘도 주변 사람들과 긍정적인 관계를 형성하기 위한 작은 노력을 실천해 보세요. 그 노력들이 모여 우리의 삶을 더욱 빛나게 할 거예요.

살아서 느끼는 행복을 누리며 살자

*취미와 여가 활동 즐기기

취미와 여가 활동을 즐기는 것은 삶을 풍요롭게 하고, 스트레스를 해소하며, 새로운 에너지를 충전하는 데 큰 도움이 돼요. 바쁜 일상 속에서도 취미와 여가 시간을 가지는 것은 매우 중요해요. 이를 통해 자신을 돌아보고, 새로운 것을 배우며, 다양한 즐거움을 경험할 수 있어요.

취미 활동은 창의성을 자극하고, 마음의 안정을 가져다줘요. 예를 들어, 그림 그리기나 음악 연주 같은 예술 활동은 감정을 표현하고, 내면의 목소리를 들을 수 있게 해줘요. 또한, 이러한 활동들은 집중력을 높이고, 성취감을 느끼게 하여 자존감을 향상시켜줘요.

여가 활동은 신체적, 정신적 건강에 큰 도움이 돼요. 운동이나 스포츠를 통해 신체를 단련하고, 체력을 향상시킬 수 있어요. 조깅, 요가, 수영, 자전거 타기 등 다양한 운동은 몸을 건강하게 유지하고, 기분을 상쾌하게 만들어 줘요. 또한, 자연 속에서 산책하거나 하이킹을 즐기는 것도 큰 힐링이 돼요. 자연의 아름다움을 느끼며 스트레스를 해소하고, 마음의 평화를 찾을 수 있어요.

독서 또한 훌륭한 여가 활동 중 하나예요. 책을 통해 새로운 지식과 시각을 얻고, 다른 사람들의 경험과 생각을 이해하게 돼요. 독서는 사고력을 키우고, 상상력을 자극하며, 다양한 주제에 대해 깊이 생각해볼 수 있게 해줘요. 좋아하는 책을 읽는 시간은 마음의 안정을 주고, 일상의 소소한 즐거움을 가져다줘요.

여행 역시 삶의 활력을 불어넣는 중요한 여가 활동이에요. 새로운 장소를 방문하고, 다양한 문화와 사람들을 만나는 것은 시야를 넓히고, 새로운 경험을 선사해줘요. 여행을 통해 일상의 스트레스에서 벗어나 자유로움을 느끼고, 새로운 도전에 대한 자신감을 얻을 수 있어요.

취미와 여가 활동은 또한 인간관계를 더욱 풍요롭게 만들어 줘요. 공통의 취미를 가진 사람들과의 만남은 깊은 유대감을 형성하게 하고, 서로의 관심사에 대해 이야기하며 즐거운 시간을 보낼 수 있어요. 동호회나 클럽 활동을 통해 새로운 친구를 사귀고, 사회적 네트워크를 넓힐 수 있어요. 이러한 만남은 삶에 활력을 더해주고, 더 많은 즐거움을 선사해줘요.

시간을 내어 자신이 좋아하는 활동을 즐기는 것은 삶의 질을 높이는 중요한 방법이에요. 취미와 여가 활동을 통해 자신을 돌아보고, 스트레스를 해소하며, 새로운 에너지를 얻을 수 있어요. 또한, 이러한 활동들은 일상을 더욱 풍요롭고 행복하게 만들어 줘요. 오늘도 자신만의 취미와 여가 활동을 찾아 즐기며, 다양한 즐거움을 만끽해 보세요. 그 순간들이 모여 우리의 삶을 더욱 빛나게 할 거예요.

살아서 느끼는 행복을 누리며 살자

*마음의 평화 찾기

마음의 평화를 찾는 것은 현대인의 삶에서 매우 중요한 일이에요. 빠르게 변화하는 세상 속에서 종종 스트레스와 불안에 휩싸이곤 해요. 그러나 마음의 평화를 찾는 것은 더 건강하고 행복한 삶을 위해 필수적인 요소죠.

먼저, 명상은 마음의 평화를 찾는 데 큰 도움이 돼요. 조용한 공간에서 눈을 감고 호흡에 집중해보세요. 깊고 천천히 숨을 쉬며 자신의 내면을 들여다보는 시간을 가져보는 거예요. 명상을 통해 마음을 차분하게 만들고, 현재에 집중할 수 있어요. 명상은 단순한 휴식이 아니라, 마음의 소음을 잠재우고 내면의 평화를 찾는 강력한 도구예요.

자연 속에서 시간을 보내는 것도 마음의 평화를 찾는 좋은 방법이에요. 숲 속을 걷거나, 바닷가에서 파도 소리를 들으며 휴식을 취해보세요. 자연의 아름다움과 고요함이 마음을 평온하게 만들어줘요. 자연과 교감하며 일상의 번잡함에서 벗어나 진정한 평화를 느낄 수 있어요.

또한, 규칙적인 운동은 신체뿐만 아니라 정신 건강에도 큰 도움이 돼요. 조깅, 요가, 수영 등 자신에게 맞는 운동을 찾아 꾸준히 해보세요. 운동은 스트레스를 해소하고 기분을 좋게 만들어주는 호르몬을 분비시켜요. 운동 후 느끼는 상쾌함과 성취감은 마음의 평화를 가져다줘요.

독서나 음악 감상도 마음의 평화를 찾는 데 유익한 활동이에요. 좋아하는 책을 읽거나, 마음에 드는 음악을 들으며 시간을 보내보세요. 이러한 활동들은 감정을 안정시키고, 일상의 스트레스를 잊게 만들어줘요. 책 속의 이야기나 음악의 멜로디 속에서 마음의 안식을 찾을 수 있어요.

자신에게 친절하고 관대하게 대하는 것도 중요해요. 완벽하지 않아도 괜찮다는 마음으로 자신을 받아들이세요. 스스로에게 지나친 압박을 주지 말고, 작은 성취에도 칭찬하고 격려하는 태도를 가져보세요. 자기 자신을 사랑하고 아끼는 마음이 평화로운 마음을 만드는데 큰 역할을 해요.

마음의 평화를 찾기 위해서는 타인과의 관계도 중요해요. 사랑하는 사람들과의 시간을 소중히 여기고, 그들과의 따뜻한 교류를 통해 마음의 위안을 얻을 수 있어요. 친구나 가족과 함께하는 시간은 마음을 따뜻하게 만들어줘요.

마지막으로, 감사하는 마음을 가져보세요. 일상 속 작은 것들에 감사하며 긍정적인 시각을 유지하는 것이 중요해요. 감사의 마음은 삶을 더욱 풍요롭게 만들어주며, 마음의 평화를 찾는 데 큰 도움이 돼요.

마음의 평화는 멀리 있지 않아요. 우리 주변의 작은 순간들 속에서, 그리고 자신의 내면에서 찾을 수 있어요. 오늘도 마음의 평화를 찾기 위한 작은 실천들을 통해 더욱 행복하고 건강한 삶을 만들어보세요.

살아서 느끼는 행복을 누리며 살자

*자기 성장과 자기 계발

자기 성장과 자기 계발은 우리 삶을 풍요롭게 만들고, 더 나은 자신을 만들어 가는 과정이에요. 지속적인 자기 성장은 목표를 이루고 삶에 의미를 부여하는 데 큰 역할을 해요. 자기 계발을 통해 우리는 새로운 가능성을 발견하고, 자신의 잠재력을 최대한 발휘할 수 있어요.

우선, 자기 성장을 위해 목표 설정이 필요해요. 명확한 목표를 세우고, 그 목표를 향해 나아가는 과정에서 우리는 성장할 수 있어요. 큰 목표를 작은 단계로 나누어 실천해 보세요. 한 걸음 한 걸음 나아가면서 작은 성취감을 느끼고, 그것이 동기부여가 되어 더 큰 목표를 이루게 돼요.

독서는 자기 계발의 중요한 요소 중 하나예요. 다양한 책을 읽으며 새로운 지식과 시각을 얻을 수 있어요. 독서는 우리의 사고력을 키우고, 상상력을 자극하며, 다양한 주제에 대해 깊이 생각해볼 수 있게 해줘요. 꾸준한 독서를 통해 우리는 지혜와 통찰력을 쌓아갈 수 있어요.

교육과 학습도 중요한 부분이에요. 새로운 기술이나 지식을 배우기 위해 꾸준히 공부하고 학습하는 자세가 필요해요. 온라인 강의, 워크숍, 세미나 등 다양한 학습 기회를 통해 자신의 역량을 강화해보세요. 끊임없이 배우고 성장하는 과정에서 우리는 더 나은 자신을 만들어 갈 수 있어요.

자기 성찰 역시 필수적이에요. 자신의 강점과 약점을 파악하고, 더 나은 방향으로 나아가기 위한 계획을 세워보세요. 정기적으로 자신의 행동과 생각을 돌아보며 개선할 점을 찾아가는 것이 중요해요. 이를 통해 우리는 더 성숙하고 균형 잡힌 삶을 살아갈 수 있어요.

시간 관리 또한 중요한 요소예요. 효과적인 시간 관리를 통해 우리는 더 많은 일을 효율적으로 해낼 수 있어요.

우선순위를 정하고, 중요한 일부터 차근차근 처리해보세요. 시간 관리가 잘 되면 스트레스도 줄어들고, 더 많은 성취감을 느낄 수 있어요.

네트워킹도 중요한 자기 계발의 한 부분이에요. 다양한 사람들과의 교류를 통해 새로운 아이디어와 기회를 얻을 수 있어요. 전문가와의 만남, 동료들과의 협력, 다양한 커뮤니티 참여를 통해 우리는 더 넓은 시야를 가질 수 있어요. 이러한 네트워킹은 우리의 성장과 계발에 큰 도움이 돼요.

마지막으로, 긍정적인 마음가짐이 중요해요. 자기 계발의 과정은 때로는 어려울 수 있지만, 긍정적인 태도로 도전해보세요. 실패를 두려워하지 말고, 그것을 배움의 기회로 삼아 더 나은 방향으로 나아가세요. 긍정적인 마음가짐은 우리의 성장과 계발을 촉진시키는 강력한 도구예요.

자기 성장과 자기 계발은 끊임없는 과정이에요. 이를 통해 우리는 더 나은 자신을 만들어 가고, 더 의미 있는 삶을 살아갈 수 있어요. 오늘도 작은 변화부터 시작해보세요. 그 변화들이 모여 우리의 삶을 더욱 빛나게 만들 거예요.

살아서 느끼는 행복을 누리며 살자

*삶의 의미와 목적 찾기

삶의 의미와 목적을 찾는 과정은 우리의 존재를 깊이 이해하고, 진정한 행복과 만족을 추구하는 여정이에요. 이 과정은 각 개인에게 독특하고 고유한 경험이지만, 몇 가지 공통된 접근 방법을 통해 더 명확히 찾을 수 있어요.

먼저, 자신을 깊이 성찰하는 것이 필요해요. 자신의 가치관, 믿음, 열정에 대해 생각해보세요. 무엇이 나를 진정으로 행복하게 만들고, 어떤 활동들이 내 삶에 의미를 부여하는지 탐구해보는 것이 중요해요. 스스로에게 질문을 던지고, 그 답을 찾는 과정을 통해 내면의 목소리를 들을 수 있어요.

또한, 목표 설정은 삶의 의미와 목적을 찾는 데 중요한 역할을 해요. 단기적인 목표와 장기적인 목표를 설정하고, 그 목표를 달성하기 위해 계획을 세워보세요. 목표를 이루어가는 과정에서 우리는 성취감을 느끼고, 삶의 방향성을 찾을 수 있어요.

다양한 경험을 통해 삶의 의미를 발견할 수도 있어요. 여행을 하거나, 새로운 취미를 시작하거나, 다양한 사람들과 교류하는 등의 경험을 통해 우리는 새로운 시각을 얻고, 더 넓은 세상을 바라볼 수 있게 돼요. 이러한 경험들은 우리의 삶을 더욱 풍요롭게 만들고, 깊이 있는 의미를 부여해요.

타인과의 관계 역시 중요한 요소예요. 사랑하는 사람들과의 깊은 유대감, 친구들과의 진솔한 대화, 그리고 사회 속에서의 나눔과 봉사를 통해 우리는 삶의 의미를 찾을 수 있어요. 타인에게 긍정적인 영향을 미치고, 그들과의 관계를 통해 성장하는 과정은 우리에게 큰 만족을 줘요.

삶의 의미와 목적을 찾기 위해서는 끊임없는 배움과 성장의 자세가 필요해요. 책을 읽거나, 강의를 듣거나, 다양한 학습 기회를 통해 지식을 쌓아가세요. 지혜와 통찰력을 얻는 과정에서 우리는 자신의 삶을 더욱 깊이 이해하고, 의미 있는 방향으로 나아갈 수 있어요.

명상과 마음챙김도 도움이 돼요. 조용한 시간을 가지며 자신의 내면을 들여다보고, 현재에 집중하는 연습을 해보세요. 마음의 평화를 찾고, 내면의 목소리에 귀 기울이는 시간을 통해 삶의 목적을 더 명확히 할 수 있어요.

자신의 재능과 열정을 활용하는 것도 중요해요. 자신의 강점을 발견하고, 그것을 바탕으로 세상에 기여할 수 있는 방법을 찾아보세요. 자신의 능력을 최대한 발휘하며, 다른 사람들에게 긍정적인 영향을 미치는 것은 큰 의미를 가져다줘요.

마지막으로, 감사하는 마음을 잊지 마세요. 일상 속 작은 것들에 감사하며, 삶의 소중함을 느껴보세요. 감사의 마음은 우리의 삶을 더욱 풍요롭게 만들고, 진정한 의미와 목적을 찾는 데 큰 도움이 돼요.

삶의 의미와 목적은 멀리 있지 않아요. 우리의 일상 속 작은 순간들 속에서, 그리고 자신의 내면에서 찾을 수 있어요. 오늘도 삶의 의미와 목적을 찾기 위한 작은 실천들을 통해 더욱 행복하고 만족스러운 삶을 만들어보세요. 그 여정이 우리의 삶을 더욱 빛나게 할 거예요.

인간관계가 인생의 도박과도 같은 것이다

*인간 관계의 불확실성

인간 관계의 불확실성은 때때로 우리의 삶에 큰 영향을 미쳐요. 사람 사이의 관계는 항상 변동적이고 예측하기 어려운 면이 있어요. 이는 우리의 감정과 정신 건강에 영향을 줄 수 있어요. 그러나 이러한 불확실성을 이해하고 받아들이는 것이 중요해요. 이를 통해 우리는 더 건강하고 강한 인간 관계를 형성할 수 있어요.

우선, 모든 관계는 서로 다른 배경과 경험을 가진 사람들 사이에서 형성된다는 점을 기억해야 해요. 각자 다른 가치관과 생각을 가지고 있기 때문에, 때때로 오해와 갈등이 발생할 수 있어요. 이러한 상황에서 중요한 것은 열린 마음으로 상대방을 이해하고자 하는 태도예요. 상대방의 입장을 존중하고, 진심으로 대화를 나누는 것이 불확실성을 줄이는 데 큰 도움이 돼요.

또한, 불확실성을 완전히 없앨 수 없다는 사실을 받아들이는 것이 중요해요. 우리는 다른 사람들의 생각과 행동을 완전히 통제할 수 없어요. 이러한 현실을 받아들이고, 관계에서 발생하는 변화와 예측 불가능한 상황에 유연하게 대처하는 태도가 필요해요. 이를 통해 우리는 관계에서 오는 스트레스를 줄이고, 더 건강한 상호작용을 할 수 있어요.

신뢰와 존중은 불확실성을 줄이는 데 중요한 요소예요. 신뢰를 쌓기 위해서는 일관된 행동과 진실된 마음이 필요해요. 서로에게 솔직하고, 신뢰를 저버리지 않는 태도를 유지하는 것이 중요해요. 또한, 상대방을 존중하고 그들의 의견과 감정을 귀 기울이는 것이 관계를 더욱 견고하게 만들어줘요.

갈등이 발생했을 때는 문제를 해결하는 능력이 중요해요. 갈등을 피하기보다는 차분하고 성숙한 태도로 문제를 해결하는 것이 필요해요. 감정을 가라앉히고, 상대방의 입장을 이해하려는 노력이 필요해요. 함께 해결책을 찾아가며, 관계를 더욱 깊고 의미 있게 만들어 갈 수 있어요.

자신을 돌보는 것도 중요한 부분이에요. 인간 관계에서 오는 불확실성은 때로는 우리의 자존감을 흔들 수 있어요. 자신을 사랑하고 존중하는 태도를 유지하며, 자신의 감정을 잘 돌보는 것이 필요해요. 자신에게 친절하게 대하며, 필요한 경우에는 휴식을 취하고, 자신의 감정을 정리하는 시간을 가지는 것이 중요해요.

마지막으로, 긍정적인 관계를 유지하는 데 주의를 기울이는 것이 필요해요. 우리에게 긍정적인 영향을 주는 사람들과의 관계를 소중히 여기고, 부정적인 영향을 주는 관계는 멀리하는 것이 좋아요. 자신에게 진정으로 중요한 사람들과 시간을 보내며, 서로에게 긍정적인 에너지를 주고받는 것이 중요해요.

인간 관계의 불확실성은 불가피한 부분이지만, 이를 이해하고 받아들이는 태도를 통해 우리는 더 건강하고 행복한 관계를 형성할 수 있어요. 열린 마음과 유연한 태도로, 신뢰와 존중을 바탕으로, 우리는 인간 관계에서 오는 불확실성을 극복할 수 있어요. 오늘도 주변 사람들과의 관계에서 긍정적인 변화를 만들어가며, 더 깊고 의미 있는 유대감을 형성해보세요.

인간관계가 인생의 도박과도 같은 것이다

*신뢰와 배신의 양면성

신뢰와 배신의 양면성은 인간 관계에서 가장 복잡하고 미묘한 주제 중 하나예요. 사람들 사이의 신뢰는 관계를 더욱 단단하고 깊이 있게 만들어 주지만, 배신은 그 신뢰를 산산이 부수고 큰 상처를 남기기도 해요. 이 두 가지는 서로 밀접하게 연결되어 있어요. 신뢰는 배신의 가능성을 안고 있지만, 그럼에도 불구하고 신뢰를 쌓고 유지하는 것이 중요한 이유를 함께 살펴볼게요.

우선, 신뢰는 모든 인간 관계의 기초예요. 친구 관계, 가족 관계, 연인 관계, 그리고 직장 내 관계 등 모든 상호작용에서 신뢰가 중요해요. 신뢰는 상대방에게 마음을 열고, 진실된 대화를 나누며, 서로의 감정과 생각을 나눌 수 있게 해줘요. 신뢰가 있을 때 우리는 상대방에게 의지할 수 있고, 그들이 우리를 지지해줄 것이라는 믿음을 가질 수 있어요.

그러나 신뢰에는 항상 배신의 위험이 따라요. 사람은 완벽하지 않기 때문에 실수와 잘못된 선택을 할 수 있어요. 신뢰를 배신당했을 때 느끼는 상처와 실망은 매우 크고 깊어요. 배신은 단순히 신뢰를 깨는 것뿐만 아니라, 관계 전체를 위태롭게 만들어요. 배신의 경험은 사람을 더 신중하게 만들고, 다른 사람을 신뢰하는 데 어려움을 느끼게 만들기도 해요.

그럼에도 불구하고, 신뢰를 쌓는 것은 여전히 중요해요. 신뢰 없이는 깊고 의미 있는 관계를 형성하기 어렵기 때문이에요. 신뢰를 쌓기 위해서는 진실되고 일관된 행동이 필요해요. 말과 행동이 일치하고, 상대방에게 솔직하게 대하며, 약속을 지키는 것이 중요해요. 작은 것에서부터 신뢰를 쌓아가며, 서로에게 신뢰를 보이는 노력이 필요해요.

배신을 경험했을 때, 그것을 어떻게 극복할지에 대한

자세도 중요해요. 배신의 상처를 치유하는 데는 시간이 걸리지만, 이를 통해 더 강해지고 성장할 수 있어요. 배신한 사람을 용서하는 것은 쉽지 않지만, 용서는 자신의 마음을 자유롭게 하는 중요한 과정이에요. 용서를 통해 우리는 과거의 상처에 머무르지 않고 앞으로 나아갈 수 있어요.

또한, 자신이 신뢰를 깨지 않도록 주의하는 것도 중요해요. 다른 사람을 배신하지 않기 위해서는 자신의 행동에 책임을 지고, 항상 진실되게 대하는 것이 필요해요. 신뢰를 얻는 것은 오랜 시간이 걸리지만, 잃는 것은 한 순간이에요. 따라서 항상 상대방을 존중하고, 신뢰를 지키기 위한 노력을 게을리하지 않는 것이 중요해요.

신뢰와 배신의 양면성은 인간 관계에서 피할 수 없는 부분이에요. 신뢰를 쌓는 과정에서 배신의 위험을 감수해야 하지만, 이를 통해 더 깊고 의미 있는 관계를 형성할 수 있어요. 신뢰는 배신의 가능성 속에서도 우리를 더 강하게 만들고, 서로를 더 이해하고 존중하게 만드는 힘이 있어요. 오늘도 주변 사람들과의 관계에서 신뢰를 쌓고, 서로를 배신하지 않기 위한 노력을 기울여 보세요. 그 노력이 우리의 관계를 더욱 풍요롭고 의미 있게 만들어 줄 거예요.

인간관계가 인생의 도박과도 같은 것이다

*감정적 투자와 위험

감정적 투자는 인간 관계에서 매우 중요한 부분을 차지해요. 누군가에게 감정적으로 투자한다는 것은 마음을 열고, 시간과 에너지를 들여 그 사람과 깊은 유대감을 형성하는 것을 의미해요. 하지만 감정적 투자는 때때로 큰 위험을 동반해요. 이러한 위험은 우리의 마음을 상하게 하고, 상처를 남길 수 있어요. 감정적 투자와 그에 따른 위험을 이해하고, 이를 잘 관리하는 방법을 함께 살펴볼게요.

감정적 투자는 우리의 삶에 많은 긍정적인 영향을 미쳐요. 사람들과의 깊은 관계를 통해 우리는 사랑과 지지, 이해를 받게 돼요. 이러한 관계는 우리의 삶을 더욱 풍요롭게 만들고, 어려운 시기에 큰 힘이 돼요. 친구와 가족, 연인과의 감정적 유대는 우리에게 행복과 만족을 주며, 삶의 의미를 더해줘요.

그러나 감정적 투자에는 항상 위험이 따르기 마련이에요. 우리의 감정을 상대방에게 맡길 때, 우리는 그들이 우리의 기대에 부응하지 않을 가능성을 감수해야 해요. 때로는 우리가 주는 만큼의 감정을 돌려받지 못할 수도 있고, 관계가 예기치 않게 끝날 수도 있어요. 이러한 상황은 우리의 마음에 큰 상처를 남기고, 감정적으로 지치게 만들어요.

또한, 감정적 투자는 우리의 자존감에 영향을 줄 수 있어요. 상대방의 반응이나 행동에 따라 우리의 감정이 좌우될 때, 우리는 자존감을 잃을 위험이 있어요. 상대방의 인정을 받지 못하거나, 관계가 소원해질 때 우리는 자신을 가치 없게 느낄 수 있어요. 이러한 감정은 우리의 정신 건강에 부정적인 영향을 미칠 수 있어요.

그럼에도 불구하고, 감정적 투자를 완전히 피할 수는 없어요. 감정적 투자는 인간 관계의 본질적인 부분이며,

이를 통해 우리는 진정한 유대감을 형성할 수 있어요. 따라서 감정적 투자를 할 때에는 몇 가지 점을 염두에 두는 것이 중요해요.

첫째, 자신의 감정을 잘 관리하는 것이 필요해요. 감정적 투자를 하면서도 자신의 감정을 돌보고, 과도하게 의존하지 않는 것이 중요해요. 자신의 감정을 존중하고, 필요할 때는 감정을 표현하는 방법을 배우는 것이 필요해요. 이를 통해 우리는 더 건강한 관계를 유지할 수 있어요.

둘째, 현실적인 기대를 가지는 것이 중요해요. 모든 관계에서 완벽한 이해와 지지를 기대하기보다는, 상대방도 우리와 마찬가지로 불완전한 인간이라는 점을 이해해야 해요. 서로의 다름을 인정하고, 때로는 실망할 수 있다는 점을 받아들이는 것이 필요해요.

셋째, 다양한 인간 관계를 유지하는 것이 좋아요. 한 사람에게 모든 감정적 투자를 집중하기보다는, 여러 사람과의 관계를 통해 다양한 감정적 지지를 받는 것이 중요해요. 이를 통해 우리는 감정적으로 더 안정적이고, 균형 잡힌 삶을 살 수 있어요.

마지막으로, 자기 돌봄이 필요해요. 감정적으로 힘들 때는 자신을 돌보고, 필요한 경우 전문가의 도움을 받는 것이 중요해요. 자신의 정신 건강을 우선으로 생각하며, 감정적으로 지쳤을 때는 충분한 휴식을 취하는 것이 필요해요.

감정적 투자와 그에 따른 위험은 인간 관계의 자연스러운 부분이에요. 이를 잘 관리하고, 건강한 관계를 유지하는 방법을 배우는 것이 중요해요. 감정적 투자를 통해 깊고 의미 있는 유대감을 형성하면서도, 자신의 감정을 잘 돌보고 균형 잡힌 삶을 유지하는 것이 필요해요. 오늘도 감정적으로 풍요롭고, 건강한 관계를 만들어가며 행복한 삶을 살기를 바라요.

인간관계가 인생의 도박과도 같은 것이다

*이해와 오해

이해와 오해는 인간 관계에서 중요한 역할을 해요. 서로를 이해하는 과정은 관계를 깊고 의미 있게 만들어 주지만, 오해는 갈등과 불신을 불러일으킬 수 있어요. 이해와 오해의 양면성을 살펴보고, 어떻게 하면 더 나은 이해를 통해 오해를 줄일 수 있는지에 대해 알아볼게요.

먼저, 이해는 다른 사람의 생각과 감정을 존중하고 받아들이는 과정이에요. 상대방의 입장에서 생각하고, 그들의 감정을 공감하는 능력이 필요해요. 이를 통해 우리는 더 깊은 유대감을 형성할 수 있어요. 이해는 대화를 통해 이루어지기도 하지만, 비언어적 소통이나 행동을 통해서도 나타날 수 있어요. 예를 들어, 상대방의 표정이나 몸짓을 통해 그들의 감정을 이해하려고 노력하는 것이 중요해요.

그러나 오해는 종종 소통의 부족이나 잘못된 정보에서 비롯돼요. 사람들은 각기 다른 배경과 경험을 가지고 있기 때문에, 동일한 상황을 다르게 해석할 수 있어요. 이러한 차이에서 오해가 발생할 수 있어요. 오해는 작은 일에서부터 시작될 수 있으며, 시간이 지나면서 더 큰 갈등으로 번질 수 있어요.

오해를 줄이기 위해서는 먼저 열린 마음으로 대화하는 것이 필요해요. 상대방의 말을 경청하고, 그들의 입장을 이해하려는 노력이 중요해요. 질문을 통해 상대방의 생각을 명확히 하고, 자신의 생각을 솔직하게 표현하는 것이 좋아요. 대화를 나눌 때는 비난보다는 이해를, 공격보다는 협력을 추구하는 태도가 필요해요.

또한, 명확한 소통이 중요해요. 애매한 표현이나 불확실한 정보는 오해를 초래할 수 있어요. 자신의 생각과 감정을 명확하게 전달하고, 상대방의 말을 정확히 이해하려는 노력이 필요해요. 필요하다면 반복해서 확인하고, 중요한 내용은 다시 한번 점검하는 것이 좋아요.

비언어적 소통도 이해를 돕는 중요한 요소예요. 상대방의 표정, 몸짓, 목소리 톤 등을 통해 그들의 감정을 더 잘 이해할 수 있어요. 비언어적 신호를 주의 깊게 관찰하고, 이를 통해 상대방의 진심을 파악하려는 노력이 필요해요.

신뢰와 존중은 이해를 돕는 중요한 기반이에요. 상대방을 신뢰하고 존중하는 마음이 있을 때, 우리는 더 쉽게 그들의 입장을 이해할 수 있어요. 신뢰와 존중이 있는 관계에서는 오해가 발생하더라도 이를 해결하려는 노력이 더 강하게 나타나요.

오해가 발생했을 때는 빠르게 해결하려는 노력이 필요해요. 오해를 방치하면 갈등이 커질 수 있어요. 차분하게 대화를 나누며 오해의 원인을 파악하고, 이를 해결하기 위한 방법을 함께 찾아보는 것이 중요해요. 사과가 필요한 상황에서는 진심 어린 사과를 통해 오해를 풀어나가는 것이 좋아요.

이해와 오해는 인간 관계의 필수적인 부분이에요. 우리는 완벽하지 않기 때문에 오해가 발생할 수 있지만, 이를 통해 더 나은 이해를 위한 노력을 할 수 있어요. 상대방을 이해하려는 마음과 열린 소통을 통해 우리는 더 깊고 의미 있는 관계를 형성할 수 있어요. 오늘도 주변 사람들과의 관계에서 이해를 통해 오해를 줄이며, 서로에게 긍정적인 영향을 주는 하루를 보내기를 바라요.

인간관계가 인생의 도박과도 같은 것이다

*관계 형성의 전략

관계를 형성하는 것은 삶에서 매우 중요한 부분이에요. 건강하고 긍정적인 관계는 우리에게 큰 기쁨과 만족을 주고, 어려운 시기에는 큰 힘이 되어줘요. 하지만 좋은 관계를 형성하고 유지하는 것은 많은 노력이 필요한 일입니다. 몇 가지 효과적인 전략을 통해 더 나은 관계를 형성하는 방법을 알아볼게요.

첫째, 진심 어린 소통이 중요해요. 대화를 나눌 때는 상대방의 말을 경청하고, 그들의 감정과 생각을 이해하려는 노력이 필요해요. 질문을 통해 상대방의 생각을 명확히 하고, 자신의 생각을 솔직하게 표현하는 것이 좋아요. 소통을 통해 서로의 입장을 이해하고, 오해를 줄일 수 있어요. 비언어적 소통, 즉 표정, 몸짓, 눈빛 등도 중요한 역할을 하니 주의 깊게 살펴보세요.

둘째, 신뢰와 존중을 바탕으로 관계를 형성해야 해요. 신뢰는 모든 관계의 기초이며, 이를 쌓기 위해서는 일관된 행동과 진실된 마음이 필요해요. 상대방에게 약속을 지키고, 솔직하게 대하며, 작은 것부터 신뢰를 쌓아가는 노력이 중요해요. 또한, 상대방을 존중하고 그들의 의견과 감정을 귀 기울이는 것이 필요해요. 존중받는다고 느낄 때 사람들은 더 깊은 유대감을 형성하게 돼요.

셋째, 공감 능력을 키우는 것이 중요해요. 상대방의 감정을 이해하고, 그들이 느끼는 바를 공감하려는 자세가 필요해요. 공감은 단순한 동의가 아니라, 상대방의 입장에서 그들의 감정을 느끼고 이해하려는 노력이에요. 공감을 통해 우리는 더 깊은 관계를 형성할 수 있고, 서로에 대한 신뢰를 쌓을 수 있어요.

넷째, 긍정적인 태도를 유지하는 것이 중요해요. 긍정적인 에너지는 주변 사람들에게도 전해져요. 밝고 긍정적인 태도로 상대방을 대하면, 그들도 우리에게 더 긍정적으로 반응하게 돼요. 칭찬과 격려를 아끼지 않고, 상대방의 장점을 찾아 인정하는 것이 중요해요. 이러한 태도는 관계를 더욱 견고하게 만들어줘요.

다섯째, 시간을 함께 보내는 것도 중요한 전략이에요. 함께하는 시간은 서로를 더 깊이 이해하고, 유대감을 형성하는 데 큰 도움이 돼요. 특별한 시간을 마련해 함께 활동을 하거나, 일상 속 작은 순간들을 소중히 여기는 것이 필요해요. 친구와 가족, 연인과의 시간을 통해 우리는 서로에 대한 애정과 신뢰를 쌓아갈 수 있어요.

여섯째, 갈등을 건설적으로 해결하는 방법을 배워야 해요. 모든 관계에서 갈등은 피할 수 없지만, 이를 어떻게 해결하느냐에 따라 관계의 질이 달라져요. 감정을 가라앉히고, 차분하게 대화를 나누며 문제의 원인을 파악하고 해결책을 찾는 노력이 필요해요. 갈등을 해결하는 과정에서 우리는 더 깊은 이해와 신뢰를 쌓을 수 있어요.

마지막으로, 자기 돌봄이 중요해요. 건강한 관계를 위해서는 자신을 먼저 돌보는 것이 필요해요. 자신의 감정과 욕구를 이해하고, 스트레스를 관리하며, 충분한 휴식을 취하는 것이 중요해요. 자기 자신을 사랑하고 존중할 때, 우리는 다른 사람들과도 더 건강한 관계를 형성할 수 있어요.

관계 형성은 단순히 노력만으로 이루어지지 않아요. 진심어린 소통, 신뢰와 존중, 공감, 긍정적인 태도, 함께하는 시간, 건설적인 갈등 해결, 그리고 자기 돌봄을 통해 우리는 더 깊고 의미 있는 관계를 형성할 수 있어요. 오늘도 주변 사람들과의 관계를 소중히 여기며, 긍정적인 변화를 만들어가기를 바라요.

인간관계가 인생의 도박과도 같은 것이다

*갈등 해결과 타협

갈등 해결과 타협은 건강한 인간 관계를 유지하는 데 필수적인 요소예요. 모든 관계에서 갈등은 불가피하지만, 이를 어떻게 해결하느냐에 따라 관계의 질이 달라져요. 갈등을 해결하고 타협하는 과정에서 우리는 서로를 더 깊이 이해하고, 관계를 더욱 견고하게 만들 수 있어요.

먼저, 갈등을 해결하기 위해서는 열린 소통이 필요해요. 갈등이 발생했을 때 감정을 가라앉히고, 차분하게 대화를 시작하는 것이 중요해요. 서로의 입장을 명확히 표현하고, 상대방의 의견을 경청하는 태도를 가져야 해요. 비난이나 공격적인 언어는 갈등을 더 악화시킬 수 있으므로 피하는 것이 좋아요. 대신, “나는 이렇게 느꼈다” 와 같은 나 중심의 표현을 사용해 자신의 감정을 솔직하게 전하는 것이 중요해요.

또한, 갈등의 원인을 파악하는 것이 필요해요. 표면적인 문제 뒤에 숨겨진 근본적인 원인을 이해하려고 노력해보세요. 감정적인 반응을 넘어서, 무엇이 문제의 핵심인지 명확히 하는 것이 중요해요. 이를 통해 문제를 더 효과적으로 해결할 수 있어요.

타협은 갈등 해결에서 중요한 역할을 해요. 타협을 통해 우리는 서로의 입장을 존중하고, 중간 지점을 찾을 수 있어요. 타협은 단순히 양보하는 것이 아니라, 서로의 욕구와 필요를 균형 있게 맞추는 과정이에요. 이를 위해서는 유연한 사고와 협력적인 태도가 필요해요. 서로가 만족할 수 있는 해결책을 찾기 위해 함께 노력해보세요.

감정 조절도 중요한 부분이에요. 갈등 상황에서는 감정이 고조될 수 있기 때문에, 이를 잘 조절하는 것이 필요해요. 깊은 숨을 쉬며 감정을 가라앉히고, 차분하게 상황을 바라보는 연습이 필요해요. 감정을 조절하면 더 이성적으로 문제를 해결할 수 있어요.

갈등 해결 과정에서 신뢰와 존중을 잃지 않는 것이 중요해요. 갈등이 해결된 후에도 관계를 유지하기 위해서는 서로를 존중하는 태도가 필요해요. 신뢰를 회복하고, 갈등을 통해 배운 점을 관계에 반영하여 더 나은 상호작용을 추구해야 해요.

마지막으로, 갈등 해결 후의 후속 조치도 중요해요. 갈등이 해결된 후에는 서로의 노력을 인정하고, 문제 해결 과정을 통해 배운 점을 되새기는 것이 좋아요. 이를 통해 우리는 더 성숙한 관계를 형성할 수 있어요. 또한, 같은 갈등이 반복되지 않도록 예방하는 노력도 필요해요.

건강한 인간 관계는 갈등 해결과 타협을 통해 이루어져요. 열린 소통, 근본적인 원인 파악, 유연한 타협, 감정 조절, 신뢰와 존중, 그리고 후속 조치까지, 이러한 과정들을 통해 우리는 더 깊고 의미 있는 관계를 형성할 수 있어요. 오늘도 주변 사람들과의 관계에서 갈등이 발생했을 때, 현명하게 해결하고, 서로를 이해하며 더 나은 관계를 만들어가기를 바라요.

인간관계가 인생의 도박과도 같은 것이다

*유익한 관계와 유해한 관계 구분하기

유익한 관계와 유해한 관계를 구분하는 것은 우리의 정신적, 정서적 건강에 매우 중요해요. 건강한 관계는 우리의 삶에 긍정적인 영향을 주고, 행복과 만족을 가져다줘요. 반면, 유해한 관계는 스트레스와 불안을 초래하고, 우리의 자존감을 해칠 수 있어요. 유익한 관계와 유해한 관계를 구분하는 방법을 살펴볼게요.

먼저, 유익한 관계의 특징을 알아볼게요. 유익한 관계는 서로의 성장을 도와주고, 긍정적인 영향을 미쳐요. 이러한 관계는 신뢰와 존중을 바탕으로 하며, 서로의 감정과 의견을 존중해요. 서로를 진심으로 지지하고 격려해요. 갈등이 생겼을 때 열린 마음으로 소통하며, 문제를 해결하기 위해 함께 노력해요. 서로의 개인적인 공간과 독립성을 존중해요. 상대방의 성공과 행복을 진심으로 기뻐해요. 어려운 상황에서도 서로에게 힘이 되어주고, 의지할 수 있는 존재예요. 관계에서 기쁨과 만족을 느끼며, 함께 시간을 보내는 것이 즐거워요.

이제, 유해한 관계의 특징을 살펴볼게요. 유해한 관계는 우리의 정신적, 정서적 건강에 부정적인 영향을 미쳐요. 이러한 관계는 갈등과 스트레스를 유발하며, 우리의 자존감을 낮출 수 있어요. 상대방이 우리를 존중하지 않거나, 무시하는 태도를 보여요. 갈등이 생겼을 때 대화를 피하거나, 비난과 공격적인 언어를 사용해요. 서로의 개인적인 공간과 독립성을 침해하고, 지나치게 의존하거나 통제하려고 해요. 상대방의 성공과 행복을 질투하거나, 방해하려는 태도를 보여요. 어려운 상황에서도 도움을 주지 않거나, 오히려 부담을 줘요. 관계에서 끊임없는 불안과 스트레스를 느끼며, 함께 있는 것이 불편해요.

유익한 관계를 유지하고, 유해한 관계를 피하기 위해서는 먼저 자신을 돌보는 것이 중요해요. 자신의 감정과 욕구를 이해하고, 건강한 자존감을 유지하는 것이 필요해요. 자신을 사랑하고 존중할 때, 우리는 더 건강한 관계를 맺을 수 있어요. 또한, 건강한 소통과 경청이 중요해요. 상대방의 말을 귀 기울여 듣고, 자신의 생각과 감정을 솔직하게 표현하는 것이 필요해요. 열린 마음으로 대화를 나누고, 서로의 입장을 이해하려는 노력이 중요해요.

경계를 설정하는 것도 필요해요. 자신의 한계를 명확히 하고, 상대방이 그 경계를 존중하도록 하는 것이 중요해요. 유해한 관계에서는 경계를 지키는 것이 어려울 수 있지만, 이를 통해 우리는 자신의 정신적, 정서적 건강을 보호할 수 있어요. 마지막으로, 필요할 때는 관계를 정리하는 용기가 필요해요. 유해한 관계에서 벗어나는 것은 어려운 결정일 수 있지만, 자신의 행복과 건강을 위해 필요한 선택이에요. 새로운 긍정적인 관계를 형성하기 위해 열린 마음을 가지는 것이 중요해요.

유익한 관계와 유해한 관계를 구분하는 능력은 우리의 삶에 큰 영향을 미쳐요. 건강한 관계를 통해 우리는 더 행복하고 만족스러운 삶을 살 수 있어요. 오늘도 주변 사람들과의 관계를 돌아보며, 유익한 관계를 소중히 여기고, 유해한 관계를 정리하는 용기를 가져보세요. 그 노력이 우리의 삶을 더욱 빛나게 할 거예요.

인간관계가 인생의 도박과도 같은 것이다

*인간 관계에서의 기회와 손실

인간 관계에서의 기회와 손실은 우리의 삶에 큰 영향을 미쳐요. 사람들과의 관계는 다양한 가능성과 도전을 안고 있어요. 이를 통해 우리는 성장하고, 새로운 기회를 얻기도 하지만, 때로는 상처를 받고, 손실을 경험하기도 해요. 인간 관계에서의 기회와 손실을 이해하고, 이를 잘 관리하는 방법을 함께 살펴볼게요.

먼저, 인간 관계에서의 기회는 우리에게 많은 긍정적인 영향을 줘요. 새로운 사람을 만나고, 그들과의 관계를 통해 다양한 경험을 쌓을 수 있어요. 이를 통해 우리는 새로운 지식과 시각을 얻고, 더 넓은 세상을 바라볼 수 있게 돼요. 또한, 사람들과의 교류는 우리의 사회적 네트워크를 확장시켜줘요. 이러한 네트워크는 직업적인 기회뿐만 아니라, 개인적인 성장과 발전에도 큰 도움이 돼요.

인간 관계는 우리에게 정서적인 지지와 위로를 제공해요. 친구와 가족, 연인과의 깊은 유대감은 우리에게 안정감을 주고, 어려운 시기에 큰 힘이 돼요. 사랑과 이해를 통해 우리는 더 큰 행복과 만족을 느낄 수 있어요. 또한, 타인과의 긍정적인 관계는 우리의 자존감을 높여주고, 자신감을 키워줘요.

반면, 인간 관계에서의 손실도 존재해요. 관계에서의 갈등과 오해는 상처와 스트레스를 초래할 수 있어요. 사람들 간의 기대와 현실이 맞지 않을 때, 실망감과 좌절을 느끼기도 해요. 또한, 신뢰하던 사람에게 배신을 당할 때, 깊은 상처를 입고, 다시는 사람을 신뢰하지 못하게 될 수도 있어요.

인간 관계에서의 손실을 잘 관리하기 위해서는 몇 가지 중요한 점을 기억해야 해요. 먼저, 열린 소통이 필요해요. 갈등이 발생했을 때, 솔직하고 차분하게 대화를 나누는 것이 중요해요. 서로의 감정과 생각을 이해하려는 노력이 필요해요. 이를 통해 오해를 풀고, 관계를 회복할 수 있어요.

또한, 자신의 감정을 잘 관리하는 것이 중요해요. 인간 관계에서 상처를 받았을 때, 그 감정을 인정하고 받아들이는 것이 필요해요. 자신의 감정을 돌보고, 필요한 경우에는 전문가의 도움을 받는 것도 좋은 방법이에요. 이를 통해 우리는 더 건강하게 상처를 치유할 수 있어요.

긍정적인 태도를 유지하는 것도 중요해요. 손실을 경험했을 때, 그것을 성장의 기회로 삼아보세요. 실패와 실망을 통해 배우고, 더 나은 방향으로 나아가는 것이 필요해요. 긍정적인 태도는 우리를 더 강하게 만들고, 새로운 기회를 찾는 데 큰 도움이 돼요.

마지막으로, 유연한 사고와 적응력이 필요해요. 인간 관계는 항상 변화할 수 있어요. 변화에 유연하게 대처하고, 새로운 상황에 적응하는 것이 중요해요. 이를 통해 우리는 더 많은 기회를 얻고, 손실을 최소화할 수 있어요.

인간 관계에서의 기회와 손실은 우리의 삶에 중요한 영향을 미쳐요. 이를 잘 관리하고, 긍정적인 방향으로 나아가기 위해 노력하는 것이 필요해요. 오늘도 주변 사람들과의 관계에서 기회를 소중히 여기고, 손실을 성장의 기회로 삼아 더 나은 삶을 만들어가기를 바라요.

인간관계가 인생의 도박과도 같은 것이다

*의사소통의 중요성

의사소통은 인간 관계에서 가장 중요한 요소 중 하나예요. 효과적인 의사소통은 우리에게 많은 긍정적인 영향을 미치고, 관계를 더욱 깊고 의미 있게 만들어줘요. 반면, 소통의 부재나 잘못된 소통은 오해와 갈등을 초래할 수 있어요. 의사소통의 중요성과 이를 잘 활용하는 방법을 살펴볼게요.

먼저, 의사소통은 신뢰를 구축하는 데 필수적이에요. 서로의 생각과 감정을 솔직하게 표현하고, 상대방의 말을 경청하는 과정에서 우리는 신뢰를 쌓을 수 있어요. 신뢰가 형성되면 관계가 더 안정적이고 견고해져요. 이는 친구, 가족, 연인, 직장 동료 등 모든 관계에서 중요한 역할을 해요.

또한, 의사소통은 오해를 줄이는 데 큰 도움이 돼요. 사람들은 각자 다른 배경과 경험을 가지고 있기 때문에, 동일한 상황을 다르게 해석할 수 있어요. 의사소통을 통해 서로의 관점을 명확히 하고, 불필요한 오해를 피할 수 있어요. 명확하고 솔직한 대화는 갈등을 예방하고, 더 원활한 관계를 만들어줘요.

의사소통은 감정을 표현하는 데도 중요해요. 기쁨, 슬픔, 화남, 두려움 등 다양한 감정을 솔직하게 표현함으로써 우리는 더 깊은 유대감을 형성할 수 있어요. 감정을 억누르기보다는 적절하게 표현하는 것이 중요해요. 이를 통해 상대방은 우리의 감정을 이해하고 공감할 수 있어요.

의사소통은 또한 문제 해결에 큰 역할을 해요. 갈등이나 문제가 발생했을 때, 효과적인 의사소통은 문제의 원인을 파악하고, 해결책을 찾는 데 도움을 줘요. 서로의 입장을 존중하며 차분하게 대화를 나누면, 더 나은 해결책을 찾을 수 있어요. 이는 관계를 더욱 강화하고, 서로에 대한 신뢰를 높이는 데 도움이 돼요.

의사소통을 잘하기 위해서는 몇 가지 중요한 요소를 기억해야 해요.

첫째, 경청의 태도가 필요해요. 상대방의 말을 끊지 않고, 주의 깊게 듣는 것이 중요해요. 경청을 통해 우리는 상대방의 감정과 생각을 이해할 수 있어요. 경청은 단순히 듣는 것을 넘어, 상대방의 입장에서 공감하는 노력이 필요해요.

둘째, 명확하게 표현하는 것이 중요해요. 자신의 생각과 감정을 명확하게 전달하는 것이 필요해요. 애매한 표현은 오해를 초래할 수 있어요. 구체적이고 직설적인 표현을 사용해 자신의 의도를 정확히 전달하는 것이 좋아요.

셋째, 비언어적 소통도 중요해요. 우리의 몸짓, 표정, 목소리 톤 등은 많은 정보를 전달해요. 비언어적 신호를 주의 깊게 관찰하고, 자신의 비언어적 표현이 상대방에게 어떻게 전달되는지 인식하는 것이 필요해요.

넷째, 피드백을 주고받는 것이 필요해요. 상대방의 말에 대한 피드백을 통해 우리가 잘 이해하고 있음을 보여줄 수 있어요. 또한, 우리의 말에 대한 피드백을 받음으로써 의사소통의 효과를 확인하고, 필요한 경우 수정할 수 있어요.

마지막으로, 열린 마음을 가지는 것이 중요해요. 상대방의 입장과 생각을 이해하려는 노력이 필요해요. 서로 다름을 인정하고 존중하는 태도가 의사소통을 원활하게 만들어줘요. 열린 마음으로 대화를 나누면, 더 깊은 이해와 유대감을 형성할 수 있어요.

의사소통은 우리의 삶과 관계에서 중요한 역할을 해요. 이를 통해 우리는 더 깊고 의미 있는 관계를 형성할 수 있어요. 오늘도 효과적인 의사소통을 통해 주변 사람들과 더 나은 관계를 만들어가기를 바라요.

인간관계가 인생의 도박과도 같은 것이다

*성공적인 관계를 위한 지속적인 노력

성공적인 관계를 위해서는 지속적인 노력이 필요해요. 좋은 관계는 자연스럽게 형성되는 것이 아니라, 서로의 이해와 존중을 바탕으로 꾸준히 가꾸어 나가는 과정이에요. 성공적인 관계를 유지하기 위해 어떤 노력이 필요한지 함께 살펴볼게요.

먼저, 진정한 소통이 중요해요. 관계를 발전시키기 위해서는 상대방과의 솔직한 대화가 필수적이에요. 자신의 감정과 생각을 솔직하게 표현하고, 상대방의 이야기에 귀 기울여야 해요. 서로의 입장을 이해하고 존중하는 마음가짐이 필요해요. 정기적으로 대화의 시간을 가지며, 서로의 생각과 감정을 나누는 것이 중요해요.

또한, 신뢰를 쌓는 것이 필요해요. 신뢰는 모든 관계의 기초예요. 이를 위해서는 약속을 지키고, 일관된 행동을 보여야 해요. 거짓말을 하지 않고 솔직하게 대하는 태도가 중요해요. 작은 것부터 신뢰를 쌓아가며, 상대방에게 믿음을 줄 수 있도록 노력해야 해요.

더불어, 존중과 배려가 필요해요. 서로의 차이를 인정하고, 상대방의 의견과 감정을 존중하는 것이 중요해요. 서로의 경계를 지켜주고, 개인적인 공간을 존중하는 태도가 필요해요. 작은 배려와 관심이 쌓여 깊은 유대감을 형성할 수 있어요.

그리고 함께하는 시간을 소중히 여겨야 해요. 바쁜 일상 속에서도 서로와 함께하는 시간을 가지는 것이 중요해요. 함께 활동을 하며 공통의 추억을 만들어가면, 관계가 더욱 깊어져요. 서로의 관심사를 공유하고, 함께 즐길 수 있는 시간을 가지도록 노력해요.

또한, 긍정적인 태도를 유지하는 것이 중요해요. 상대방의 장점을 찾아 칭찬하고, 격려하는 것이 필요해요. 긍정적인 에너지는 상대방에게도 전해져, 더 행복한 관계를 만들어줘요. 어려운 상황에서도 긍정적인 마음가짐을 유지하며, 함께 문제를 해결해나가는 태도가 중요해요.

더 나아가, 갈등을 건설적으로 해결하는 능력이 필요해요. 모든 관계에는 갈등이 발생할 수 있어요. 갈등이 생겼을 때는 감정을 가라앉히고 차분하게 대화를 나누는 것이 중요해요. 비난보다는 이해를, 공격보다는 협력을 추구하는 태도가 필요해요. 함께 해결책을 찾아가며, 더 나은 관계를 만들어나가는 노력이 필요해요.

마지막으로, 자기 돌봄이 중요해요. 자신의 감정과 상태를 잘 돌보아야 건강한 관계를 유지할 수 있어요. 스트레스를 관리하고, 충분한 휴식을 취하며, 자신의 필요를 충족시키는 것이 필요해요. 자기 자신을 사랑하고 존중할 때, 우리는 다른 사람과도 더 건강한 관계를 맺을 수 있어요.

성공적인 관계를 위해서는 이러한 지속적인 노력이 필요해요. 소통, 신뢰, 존중, 함께하는 시간, 긍정적인 태도, 갈등 해결, 자기 돌봄을 통해 우리는 더 깊고 의미 있는 관계를 형성할 수 있어요. 오늘도 주변 사람들과의 관계를 소중히 여기며, 긍정적인 변화를 만들어가기를 바라요. 그 노력이 우리의 삶을 더욱 빛나게 할 거예요.

늦게 깨친 삶이 남은 삶을 지배하는 것이다

*늦게 배운 교훈의 가치

늦게 배운 교훈은 종종 우리의 삶에 깊고 의미 있는 변화를 가져다줘요. 인생의 여정 속에서 우리는 다양한 경험과 도전을 통해 많은 것을 배우게 돼요. 때로는 어떤 교훈이 우리에게 다가오기까지 오랜 시간이 걸리기도 하고, 이미 여러 번의 실패를 경험한 후에야 깨닫게 되는 경우도 있어요. 그러나 늦게 배운 교훈은 그만큼 더 큰 가치를 지니고 있어요.

먼저, 늦게 배운 교훈은 우리의 삶을 더욱 성숙하게 만들어줘요. 오랜 시간 동안 겪은 경험과 그로 인한 성찰은 우리를 더 깊이 이해하게 하고, 더 넓은 시야를 가지게 해줘요. 이러한 교훈은 단순한 지식이 아니라, 삶의 지혜로 자리 잡게 돼요. 과거의 실수와 실패를 통해 성장하고, 더 나은 결정을 내릴 수 있는 능력을 갖추게 돼요.

또한, 늦게 배운 교훈은 우리의 인내와 끈기를 시험해요. 쉽지 않은 과정을 거쳐 배운 교훈은 우리에게 큰 성취감을 안겨줘요. 포기하지 않고 끝까지 노력한 결과로서 중요한 교훈을 얻을 수 있어요. 이러한 경험은 우리를 더욱 강하게 만들고, 앞으로의 도전에 더욱 잘 대비할 수 있게 해줘요.

늦게 배운 교훈은 또한 감사의 마음을 가르쳐줘요. 많은 어려움과 고난을 겪은 후에야 얻은 교훈은, 우리가 가진 것들의 소중함을 더 깊이 깨닫게 해줘요. 작은 것에도 감사할 수 있게 되고, 주어진 순간들을 더 소중히 여길 수 있게 돼요. 이러한 감사의 마음은 우리의 삶을 더욱 풍요롭게 만들어줘요.

또한, 늦게 배운 교훈은 다른 사람들에게도 큰 영향을 미칠 수 있어요. 우리가 경험한 어려움과 배움을 다른 사람들과 나눌 때, 그들도 우리의 경험을 통해 배울 수 있어요. 이를 통해 우리는 주변 사람들에게 긍정적인 변화를 일으킬 수 있고, 그들의 삶에도 좋은 영향을 줄 수 있어요. 우리의 이야기가 다른 사람들에게 영감과 용기를 줄 수 있어요.

마지막으로, 늦게 배운 교훈은 우리에게 겸손함을 가르쳐줘요. 우리는 완벽하지 않으며, 언제나 배울 것이 많다는 사실을 깨닫게 돼요. 이러한 겸손한 태도는 우리를 더욱 개방적이고, 다른 사람들의 의견을 존중하게 만들어줘요. 겸손함을 통해 우리는 더 나은 인간 관계를 형성할 수 있고, 서로에게 더 큰 지지와 사랑을 줄 수 있어요.

늦게 배운 교훈은 그 자체로 큰 가치를 지니고 있어요. 이러한 교훈은 우리의 삶을 더욱 풍요롭고 의미 있게 만들어줘요. 우리는 늦게 배운 교훈을 통해 성장하고, 더 나은 사람이 될 수 있어요. 오늘도 이러한 교훈을 소중히 여기며, 그것이 우리에게 주는 지혜와 가치를 깨닫기를 바라요. 늦게 배운 교훈은 우리의 삶을 더욱 빛나게 할 거예요.

늦게 깨친 삶이 남은 삶을 지배하는 것이다

*인생 후반기의 전환점

인생 후반기의 전환점은 새로운 시작을 의미하고, 깊은 성찰과 변화의 기회를 제공해요. 많은 사람들에게 인생 후반기는 그동안의 경험과 지혜를 바탕으로 새로운 목표를 세우고, 삶의 방향을 재정립하는 중요한 시기예요. 이러한 전환점을 긍정적으로 받아들이고, 더 나은 미래를 위해 준비하는 방법을 살펴볼게요.

먼저, 자신의 삶을 되돌아보는 것이 중요해요. 지금까지의 성취와 실패, 기쁨과 슬픔을 모두 돌아보며 자신에게 의미 있는 순간들을 되새겨보세요. 이를 통해 자신이 무엇을 이루었고, 앞으로 어떤 방향으로 나아가야 할지 명확히 할 수 있어요. 과거의 경험은 앞으로의 선택에 큰 도움을 줄 수 있어요.

또한, 새로운 목표를 설정하는 것이 필요해요. 인생 후반기는 새로운 꿈과 목표를 이루기에 적합한 시기예요. 그동안 이루고 싶었지만 미뤄두었던 일들, 혹은 새로운 도전과 기회를 찾아보세요. 자신의 열정과 관심을 반영한 목표를 설정하고, 이를 위해 구체적인 계획을 세우는 것이 중요해요.

건강을 유지하는 것도 중요한 요소예요. 신체적, 정신적 건강은 인생 후반기의 행복과 성취에 큰 영향을 미쳐요. 규칙적인 운동과 건강한 식습관을 유지하며, 스트레스를 관리하는 방법을 찾아보세요. 명상이나 요가 같은 활동은 정신적 안정을 가져다줄 수 있어요.

관계의 중요성도 잊지 말아야 해요. 가족, 친구, 그리고 주변 사람들과의 관계를 소중히 여기고, 새로운 사람들과의 만남을 통해 사회적 네트워크를 확장하세요. 긍정적인 인간 관계는 인생 후반기의 큰 자산이 될 수 있어요. 서로의 지지와 격려를 통해 더 많은 행복과 만족을 얻을 수 있어요.

자기 계발을 지속하는 것도 필요해요. 새로운 기술을 배우거나, 흥미 있는 분야의 지식을 쌓아보세요. 이는 자신감을 높이고, 삶의 질을 향상시키는 데 큰 도움이 돼요. 끊임없이 배우고 성장하는 자세를 통해 우리는 더 풍요로운 삶을 살 수 있어요.

봉사와 나눔을 실천하는 것도 인생 후반기를 의미 있게 만들어줘요. 자신이 가진 것을 나누고, 다른 사람들을 돕는 일은 큰 보람을 느끼게 해요. 지역 사회나 자선 단체에서 자원봉사 활동을 하거나, 자신의 경험과 지혜를 나눌 수 있는 기회를 찾아보세요. 이를 통해 더 큰 만족과 행복을 느낄 수 있어요.

마지막으로, 긍정적인 태도를 유지하는 것이 중요해요. 인생 후반기는 새로운 도전과 변화를 맞이하는 시기이기 때문에, 긍정적인 마음가짐이 필요해요. 낙관적인 태도와 열린 마음을 통해 우리는 더 많은 기회를 발견하고, 더 나은 삶을 만들어갈 수 있어요.

인생 후반기의 전환점은 새로운 시작과 변화를 의미해요. 자신의 삶을 돌아보고, 새로운 목표를 설정하며, 건강을 유지하고, 긍정적인 관계를 맺고, 지속적인 자기 계발과 봉사를 통해 우리는 더 나은 미래를 준비할 수 있어요. 오늘도 이러한 전환점을 소중히 여기며, 더 행복하고 의미 있는 삶을 만들어가기를 바라요.

늦게 깨친 삶이 남은 삶을 지배하는 것이다

*후반기 인생의 목표 설정

후반기 인생의 목표 설정은 새로운 도전과 변화를 맞이하는 중요한 과정이에요. 이 시기는 그동안의 경험과 지혜를 바탕으로, 새로운 방향과 목표를 설정하는 시기죠. 후반기 인생을 더 풍요롭고 의미 있게 보내기 위해 어떤 목표를 설정할 수 있는지 함께 살펴볼게요.

먼저, 자기 성찰이 필요해요. 지금까지의 삶을 돌아보며 자신의 성취와 실패, 기쁨과 슬픔을 모두 되새겨보세요. 이를 통해 자신의 강점과 약점을 파악하고, 앞으로 어떤 방향으로 나아가야 할지 명확히 할 수 있어요. 과거의 경험은 앞으로의 목표 설정에 큰 도움이 돼요.

다음으로, 건강 관리를 목표로 삼는 것이 중요해요. 신체적, 정신적 건강은 후반기 인생의 질을 결정하는 중요한 요소예요. 규칙적인 운동과 균형 잡힌 식사를 통해 신체 건강을 유지하고, 스트레스를 관리하는 방법을 찾아보세요. 요가나 명상 같은 활동은 정신적 안정을 도와줄 수 있어요. 건강을 위한 목표를 설정하고 꾸준히 실천해보세요.

자기 계발도 중요한 목표 중 하나예요. 새로운 기술을 배우거나, 흥미 있는 분야의 지식을 쌓는 것은 자신감을 높이고 삶의 질을 향상시켜줘요. 평생 학습의 자세를 가지고, 끊임없이 배우고 성장하려는 노력이 필요해요. 이를 통해 우리는 더 많은 기회를 발견하고, 자신을 더욱 발전시킬 수 있어요.

관계의 질을 높이는 것도 목표로 삼을 수 있어요. 가족, 친구, 그리고 주변 사람들과의 관계를 더욱 깊고 의미 있게 만들어보세요. 새로운 사람들과의 만남을 통해 사회적 네트워크를 확장하는 것도 중요해요. 긍정적인 인간 관계는 후반기 인생의 큰 자산이 될 수 있어요. 서로의 지지와 격려를 통해 더 많은 행복과 만족을 얻을 수 있어요.

취미와 여가 활동을 목표로 설정하는 것도 좋아요. 그동안 바빠서 하지 못했던 취미를 다시 시작해보거나, 새로운 취미를 발견해보세요. 여행을 통해 새로운 장소를 탐험하고, 다양한 문화를 경험하는 것도 큰 즐거움을 줄 수 있어요. 여가 시간을 활용해 삶의 활력을 불어넣어보세요.

봉사와 나눔을 실천하는 목표도 설정해보세요. 자신이 가진 것을 나누고, 다른 사람들을 돕는 일은 큰 보람을 느끼게 해줘요. 지역 사회나 자선 단체에서 자원봉사 활동을 하거나, 자신의 경험과 지혜를 나눌 수 있는 기회를 찾아보세요. 이를 통해 더 큰 만족과 행복을 느낄 수 있어요.

마지막으로, 긍정적인 태도를 유지하는 것을 목표로 삼아보세요. 인생의 후반기는 새로운 도전과 변화를 맞이하는 시기이기 때문에, 긍정적인 마음가짐이 필요해요. 낙관적인 태도와 열린 마음을 통해 더 많은 기회를 발견하고, 더 나은 삶을 만들어갈 수 있어요.

후반기 인생의 목표 설정은 새로운 도전과 성장을 위한 중요한 과정이에요. 자기 성찰, 건강 관리, 자기 계발, 관계의 질 향상, 취미와 여가 활동, 봉사와 나눔, 긍정적인 태도 유지 등을 통해 우리는 더 풍요롭고 의미 있는 삶을 살아갈 수 있어요. 오늘도 이러한 목표를 설정하고, 더 나은 미래를 준비해보세요. 그 노력이 우리의 삶을 더욱 빛나게 할 거예요.

늦게 깨친 삶이 남은 삶을 지배하는 것이다

*과거 경험에서 배우기

과거 경험에서 배우는 것은 우리 삶을 더욱 풍요롭게 만드는 중요한 과정이에요. 과거의 경험은 우리가 더 나은 결정을 내리고, 성장하는 데 큰 도움이 돼요. 이를 통해 우리는 실수를 반복하지 않고, 더 나은 방향으로 나아갈 수 있어요. 과거 경험에서 배움을 얻기 위해 어떤 노력을 할 수 있는지 함께 살펴볼게요.

먼저, 자기 성찰이 필요해요. 자신의 과거 경험을 돌아보며 그 안에서 배울 수 있는 교훈을 찾아보세요. 중요한 사건이나 결정, 만남 등을 떠올리며 그 당시의 감정과 생각을 되새겨보세요. 이러한 성찰은 우리가 과거의 행동을 이해하고, 앞으로의 행동을 개선하는 데 도움이 돼요.

또한, 실패와 실수를 받아들이는 자세가 필요해요. 실패와 실수는 누구에게나 있을 수 있는 일이에요. 이를 두려워하거나 회피하기보다는, 그 속에서 배울 점을 찾는 것이 중요해요. 실패를 통해 우리는 자신의 약점을 발견하고, 이를 보완할 수 있는 방법을 찾을 수 있어요. 실수는 우리의 성장 과정에서 중요한 역할을 해요.

감정을 솔직하게 받아들이는 것도 중요해요. 과거의 경험에서 느낀 감정을 억누르지 말고, 그대로 받아들이세요. 슬픔, 분노, 기쁨, 두려움 등 다양한 감정을 인정하고, 그 감정들이 우리의 삶에 어떤 영향을 미쳤는지 생각해보세요. 감정을 솔직하게 받아들이는 것은 자기 이해와 성장의 중요한 부분이에요.

또한, 주변 사람들의 피드백을 받아들이는 것이 필요해요. 우리가 미처 보지 못한 점들을 다른 사람들이 지적해줄 수 있어요. 주변 사람들의 피드백을 통해 자신의 행동을 객관적으로 바라보고, 개선할 점을 찾을 수 있어요. 다른 사람들의 의견을 존중하고, 이를 성장의 기회로 삼는 태도가 중요해요.

과거의 경험을 통해 목표를 설정하는 것도 좋은 방법이에요. 과거의 경험에서 배운 교훈을 바탕으로 새로운 목표를 세우고, 그 목표를 향해 나아가는 과정에서 우리는 더 큰 성취감을 느낄 수 있어요. 과거의 경험을 반영한 현실적이고 구체적인 목표를 설정하고, 이를 이루기 위한 계획을 세우세요.

긍정적인 태도를 유지하는 것도 중요해요. 과거의 경험이 힘들고 고통스러웠더라도, 그 속에서 긍정적인 면을 찾아보세요. 어려운 경험을 통해 우리는 더 강해지고, 더 큰 지혜를 얻을 수 있어요. 긍정적인 태도는 우리를 더 나은 방향으로 이끌어줄 거예요.

마지막으로, 과거의 경험을 다른 사람들과 나누는 것이 필요해요. 우리의 경험과 배움을 다른 사람들과 공유함으로써, 그들도 우리의 경험에서 배울 수 있어요. 이를 통해 우리는 더 많은 사람들에게 긍정적인 영향을 미치고, 함께 성장할 수 있어요.

과거 경험에서 배우는 것은 우리의 삶을 더욱 풍요롭고 의미 있게 만드는 중요한 과정이에요. 자기 성찰, 실패와 실수 받아들이기, 감정 솔직하게 받아들이기, 주변 사람들의 피드백 받아들이기, 목표 설정, 긍정적인 태도 유지, 경험 나누기 등을 통해 우리는 과거 경험에서 더 많은 배움을 얻을 수 있어요. 오늘도 과거의 경험을 통해 배운 교훈을 소중히 여기며, 더 나은 미래를 향해 나아가기를 바라요.

늦게 깨친 삶이 남은 삶을 지배하는 것이다

*변화의 필요성 인식하기

변화의 필요성을 인식하는 것은 우리의 삶을 더욱 풍요롭고 의미 있게 만드는 중요한 과정이에요. 변화는 종종 두려움을 동반하지만, 그것이 가져오는 긍정적인 결과는 우리에게 큰 성장을 안겨줘요. 변화의 필요성을 인식하고, 이를 수용하는 방법을 함께 살펴볼게요.

먼저, 현재 상황을 객관적으로 평가하는 것이 중요해요. 자신의 삶을 돌아보며 어떤 부분이 변화가 필요한지 생각해보세요. 만족스럽지 못한 부분이나 개선이 필요한 영역을 파악하는 것이 필요해요. 이러한 평가를 통해 변화의 필요성을 인식할 수 있어요.

또한, 변화를 두려워하지 않는 마음가짐이 필요해요. 변화는 불확실성과 함께 오지만, 그것이 반드시 부정적인 결과를 가져오는 것은 아니에요. 오히려 변화를 통해 우리는 새로운 기회를 발견하고, 더 나은 방향으로 나아갈 수 있어요. 두려움을 극복하고 변화를 받아들이는 용기가 필요해요.

변화의 필요성을 인식하기 위해서는 자신에게 솔직해지는 것이 중요해요. 자신의 감정과 생각을 깊이 들여다보고, 무엇이 자신에게 진정한 행복과 만족을 주는지 고민해보세요. 스스로에게 정직해질 때, 우리는 변화의 필요성을 더 명확하게 인식할 수 있어요.

또한, 변화를 위한 목표를 설정하는 것이 필요해요. 변화를 통해 이루고 싶은 목표를 구체적으로 설정해보세요. 이러한 목표는 우리에게 동기부여를 주고, 변화의 과정을 더 쉽게 이끌어줄 거예요. 목표를 설정하고, 이를 달성하기 위한 계획을 세우는 것이 중요해요.

주변 사람들의 조언과 피드백을 받아들이는 것도 중요해요. 때로는 우리가 스스로 변화를 인식하기 어려울 때가 있어요. 이럴 때는 주변 사람들의 의견을 귀 기울여 듣고, 그들의 조언을 받아들이는 것이 도움이 돼요. 다른 사람들의 시각에서 바라본 우리의 모습은 변화를 위한 중요한 단서를 제공해줄 수 있어요.

변화를 위한 작은 실천을 시작해보세요. 큰 변화는 작은 실천에서부터 시작돼요. 작은 목표를 설정하고 이를 하나씩 실천해나가면서 우리는 점차 변화를 이룰 수 있어요. 작은 성공들이 쌓여 큰 변화를 만들어내는 과정에서 우리는 더 큰 성취감을 느낄 수 있어요.

긍정적인 태도를 유지하는 것도 중요해요. 변화의 과정에서 우리는 어려움과 도전에 직면할 수 있어요. 그러나 긍정적인 태도로 이겨내고, 변화의 긍정적인 면을 바라보는 것이 필요해요. 낙관적인 마음가짐은 변화를 더욱 쉽게 받아들이게 해줄 거예요.

마지막으로, 자기 자신을 격려하는 것이 필요해요. 변화를 시도하는 과정에서 스스로를 응원하고 격려해보세요. 자신에게 너무 엄격하지 않게 대하고, 작은 성취에도 스스로를 칭찬하는 것이 중요해요. 자기 격려는 우리의 자신감을 높이고, 변화를 지속할 수 있게 해줘요.

변화의 필요성을 인식하는 것은 우리의 삶을 더욱 풍요롭고 의미 있게 만드는 중요한 과정이에요. 현재 상황을 객관적으로 평가하고, 변화를 두려워하지 않으며, 솔직해지고 목표를 설정하고, 주변 사람들의 조언을 받아들이고, 작은 실천을 시작하며, 긍정적인 태도를 유지하고, 자기 자신을 격려하는 과정을 통해 우리는 변화를 수용할 수 있어요. 오늘도 변화의 필요성을 인식하고, 더 나은 미래를 향해 나아가기를 바라요.

늦게 깨친 삶이 남은 삶을 지배하는 것이다

*새로운 시작을 위한 준비

새로운 시작을 위한 준비는 우리의 삶에 큰 변화를 가져올 수 있는 중요한 과정이에요. 새로운 시작은 기대와 설렘, 때로는 약간의 두려움을 동반하지만, 철저한 준비를 통해 우리는 더 자신 있게 앞으로 나아갈 수 있어요. 새로운 시작을 위한 준비를 어떻게 할 수 있는지 함께 살펴볼게요.

먼저, 명확한 목표 설정이 필요해요. 새로운 시작을 통해 무엇을 이루고 싶은지 구체적으로 생각해보세요. 명확한 목표는 우리에게 방향성을 제공하고, 동기부여를 줄 수 있어요. 목표를 세울 때는 구체적이고 현실적인 목표를 설정하는 것이 중요해요. 예를 들어, 새로운 직업을 찾고 싶다면 어떤 분야에서 일하고 싶은지, 어떤 기술을 개발해야 하는지 등을 명확히 하는 거예요.

다음으로, 계획을 세우는 것이 중요해요. 목표를 달성하기 위해 어떤 단계를 밟아야 할지 계획을 세우세요. 세부적인 계획을 통해 우리는 무엇을 언제, 어떻게 해야 할지 명확히 알 수 있어요. 이를 통해 혼란을 줄이고, 목표에 더 집중할 수 있어요. 작은 단계로 계획을 나누어 하나씩 실천해 나가는 것이 효과적이에요.

필요한 자원을 준비하는 것도 중요해요. 새로운 시작을 위해 필요한 자원은 무엇인지 파악하고, 이를 준비하는 과정이 필요해요. 예를 들어, 새로운 기술을 배우기 위해 필요한 교육 자료나 강의를 찾아보거나, 목표 달성을 위해 필요한 경제적 자원을 마련하는 것 등이 있어요. 필요한 자원을 미리 준비하면 목표 달성에 더 가까워질 수 있어요.

또한, 자기 계발에 투자하는 것이 필요해요. 새로운 시작을 위해 필요한 기술이나 지식을 배우는 것은 매우 중요해요. 관련된 강의나 워크숍에 참여하거나, 책을 통해 스스로 학습하는 등의 방법을 활용해보세요. 이를 통해 우리는 더 자신감 있게 새로운 도전에 임할 수 있어요.

주변 사람들의 지지와 조언을 받는 것도 중요한 부분이에요. 새로운 시작은 혼자서만 이루어지기 어렵기 때문에, 가족이나 친구, 멘토 등의 지지와 조언을 받는 것이 필요해요. 주변 사람들의 격려와 도움은 우리에게 큰 힘이 될 수 있어요. 그들의 경험과 지혜를 통해 우리는 더 나은 결정을 내릴 수 있어요.

마음의 준비도 필요해요. 새로운 시작은 때로는 불안과 두려움을 동반할 수 있어요. 이러한 감정을 인정하고, 긍정적인 태도로 변화에 임하는 것이 중요해요. 마음을 차분하게 유지하고, 자신을 믿는 태도가 필요해요. 명상이나 운동을 통해 마음의 평화를 찾는 것도 좋은 방법이에요.

건강을 유지하는 것도 중요한 준비 과정이에요. 신체적, 정신적 건강은 새로운 시작을 성공적으로 이끄는 데 큰 역할을 해요. 규칙적인 운동과 균형 잡힌 식사를 통해 건강을 유지하고, 충분한 휴식을 취하는 것이 필요해요. 건강한 몸과 마음은 우리가 더 잘 집중하고, 더 효과적으로 목표를 달성할 수 있게 해줘요.

마지막으로, 자신을 격려하는 것이 필요해요. 새로운 시작은 큰 도전이 될 수 있어요. 자신에게 긍정적인 말을 건네고, 작은 성취에도 스스로를 칭찬하는 것이 중요해요. 자기 격려는 우리의 자신감을 높이고, 변화를 지속할 수 있게 해줘요.

새로운 시작을 위한 준비는 우리의 삶에 큰 변화를 가져올 수 있는 중요한 과정이에요. 명확한 목표 설정, 세부적인 계획 수립, 필요한 자원 준비, 자기 계발,

주변 사람들의 지지와 조언, 마음의 준비, 건강 유지, 자기 격려 등을 통해 우리는 더 자신 있게 새로운 시작을 맞이할 수 있어요. 오늘도 이러한 준비를 통해 더 나은 미래를 향해 나아가기를 바라요.

늦게 깨친 삶이 남은 삶을 지배하는 것이다

*지속적인 자기 계발과 학습

지속적인 자기 계발과 학습은 우리의 삶을 더욱 풍요롭게 하고, 성공과 성장을 위한 중요한 요소예요. 우리는 끊임없이 변화하는 세상 속에서 살아가고 있기 때문에, 지속적으로 배우고 성장하는 자세가 필요해요. 지속적인 자기 계발과 학습을 위한 방법을 함께 살펴볼게요.

먼저, 목표 설정이 중요해요. 무엇을 배우고, 어떤 분야에서 성장하고 싶은지 명확히 정해보세요. 구체적인 목표를 설정하면, 그 목표를 향해 나아가는 과정에서 더 큰 동기부여를 받을 수 있어요. 예를 들어, 새로운 언어를 배우거나, 특정 기술을 습득하는 등의 목표를 설정할 수 있어요.

다음으로, 학습 계획을 세우는 것이 필요해요. 목표를 달성하기 위해 어떤 단계를 밟아야 할지 계획을 세우세요. 세부적인 학습 계획을 통해 우리는 무엇을 언제, 어떻게 공부해야 할지 명확히 알 수 있어요. 주간 또는 월간 계획을 세워 작은 목표를 하나씩 실천해 나가는 것이 효과적이에요.

또한, 다양한 학습 방법을 활용하는 것이 중요해요. 책을 읽거나, 온라인 강의를 듣거나, 워크숍에 참여하는 등 다양한 방법으로 학습할 수 있어요. 새로운 지식을 습득하는 다양한 경로를 찾아보고, 자신에게 가장 잘 맞는 방법을 선택하세요. 예를 들어, 독서를 통해 깊이 있는 지식을 쌓거나, 온라인 강의를 통해 실용적인 기술을 배울 수 있어요.

자기 계발을 위한 지속적인 학습에는 피드백이 중요해요. 자신의 진행 상황을 정기적으로 점검하고, 필요한 경우 수정해나가는 과정이 필요해요. 주변 사람들에게 조언을 구하거나, 자신의 학습 결과를 점검하며 개선할 점을 찾는 것이 중요해요. 이를 통해 우리는 더 효과적으로 학습하고 성장할 수 있어요.

또한, 끊임없이 호기심을 유지하는 것이 중요해요. 새로운 분야나 주제에 대해 탐구하는 자세를 가져보세요. 호기심은 우리의 학습 동기를 높이고, 더 많은 것을 배우고자 하는 열정을 불러일으켜요. 다양한 주제에 대해 열린 마음으로 접근하고, 새로운 것에 도전해보세요.

학습의 즐거움을 찾는 것도 중요해요. 공부나 자기 계발이 단순히 의무로 느껴지기보다는, 즐거운 경험이 되도록 만들어보세요. 자신이 흥미를 느끼는 주제나 활동을 찾아보세요. 이를 통해 우리는 더 적극적으로 학습에 참여하고, 더 큰 성취감을 느낄 수 있어요.

자신을 격려하는 것도 필요해요. 작은 성취에도 스스로를 칭찬하고, 자신의 노력을 인정하는 것이 중요해요. 자기 격려는 우리의 자신감을 높이고, 지속적인 학습 동기를 부여해줘요. 자신의 발전 과정을 긍정적으로 바라보며, 꾸준히 노력하는 태도가 필요해요.

마지막으로, 건강을 유지하는 것이 중요해요. 신체적, 정신적 건강은 지속적인 학습과 자기 계발에 큰 영향을 미쳐요. 규칙적인 운동과 균형 잡힌 식사를 통해 건강을 유지하고, 충분한 휴식을 취하는 것이 필요해요. 건강한 몸과 마음은 우리가 더 잘 집중하고, 더 효과적으로 학습할 수 있게 해줘요.

지속적인 자기 계발과 학습은 우리의 삶을 더욱 풍요롭게 하고, 성공과 성장을 위한 중요한 요소예요. 목표 설정, 학습 계획 수립, 다양한 학습 방법 활용, 피드백 수용, 호기심 유지, 학습의 즐거움 찾기, 자기 격려, 건강 유지 등을 통해 우리는 끊임없이 배우고 성장할 수 있어요. 오늘도 지속적인 학습과 자기 계발을 통해 더 나은 미래를 향해 나아가기를 바라요.

늦게 깨친 삶이 남은 삶을 지배하는 것이다

*인생의 남은 시간을 가치 있게 사용하기

인생의 남은 시간을 가치 있게 사용하는 것은 우리의 삶을 더욱 의미 있게 만드는 중요한 과정이에요. 시간이 한정되어 있음을 인식하고, 그 시간을 어떻게 활용할지 고민해보는 것은 매우 중요해요. 인생의 남은 시간을 가치 있게 사용하기 위한 방법을 함께 살펴볼게요.

먼저, 자신의 목표와 꿈을 명확히 하는 것이 필요해요. 무엇을 이루고 싶은지, 어떤 방향으로 나아가고 싶은지 구체적으로 생각해보세요. 명확한 목표와 꿈은 우리가 시간을 효율적으로 사용하고, 더 큰 동기부여를 받을 수 있게 해줘요. 예를 들어, 새로운 기술을 배우거나, 여행을 통해 다양한 문화를 경험하는 등의 목표를 설정할 수 있어요.

또한, 시간 관리를 잘하는 것이 중요해요. 하루, 한 주, 한 달의 일정을 계획하고, 중요한 일들을 우선순위에 따라 처리하는 것이 필요해요. 계획을 세울 때는 자신의 목표와 일치하는 활동에 더 많은 시간을 할애하도록 하세요. 이렇게 하면 시간이 흘러가는 것을 막을 수 있고, 더 의미 있는 활동에 집중할 수 있어요.

자신에게 의미 있는 활동을 찾아보세요. 취미나 여가 활동을 통해 삶의 질을 높이는 것도 중요해요. 예를 들어, 그림 그리기, 음악 연주, 운동, 독서 등 자신이 즐길 수 있는 활동을 찾아보세요. 이러한 활동들은 우리의 삶에 활력을 불어넣고, 스트레스를 해소하는 데 큰 도움이 돼요.

사랑하는 사람들과의 시간을 소중히 여기는 것도 중요한 부분이에요. 가족, 친구, 연인과 함께하는 시간은 우리의 삶에 큰 의미를 부여해요. 서로의 감정을 나누고, 소중한 추억을 만드는 것은 삶의 질을 높이는 데 큰 역할을 해요. 가능한 한 자주 사랑하는 사람들과 시간을 보내고, 그들과의 관계를 더욱 깊게 만들어보세요.

또한, 배움과 성장을 지속하는 것이 필요해요. 새로운 것을 배우고, 자신의 능력을 개발하는 것은 우리의 삶을 더욱 풍요롭게 만들어요. 평생 학습의 자세를 가지고, 끊임없이 자신을 계발하려는 노력이 필요해요. 이를 통해 우리는 더 많은 기회를 발견하고, 자신을 더욱 발전시킬 수 있어요.

봉사와 나눔을 실천하는 것도 인생의 남은 시간을 가치 있게 사용하는 방법이에요. 자신의 시간과 재능을 나누고, 다른 사람들을 돕는 일은 큰 보람을 느끼게 해줘요. 지역 사회나 자선 단체에서 자원봉사 활동을 하거나, 자신의 경험과 지혜를 나눌 수 있는 기회를 찾아보세요. 이를 통해 더 큰 만족과 행복을 느낄 수 있어요.

건강을 유지하는 것도 중요한 부분이에요. 신체적, 정신적 건강은 우리의 삶의 질을 결정하는 중요한 요소예요. 규칙적인 운동과 균형 잡힌 식사를 통해 건강을 유지하고, 충분한 휴식을 취하는 것이 필요해요. 건강한 몸과 마음은 우리가 더 잘 집중하고, 더 효과적으로 시간을 사용할 수 있게 해줘요.

마지막으로, 긍정적인 태도를 유지하는 것이 중요해요. 긍정적인 마음가짐은 우리에게 더 많은 기회를 열어주고, 더 나은 미래를 만들어줘요. 어려운 상황에서도 희망을 잃지 않고, 낙관적인 태도로 변화를 받아들이는 것이 필요해요. 긍정적인 태도는 우리의 삶을 더욱 풍요롭게 만들어줄 거예요.

인생의 남은 시간을 가치 있게 사용하는 것은 우리의 삶을 더욱 의미 있게 만드는 중요한 과정이에요. 목표와 꿈을 명확히 하고, 시간 관리를 잘하며, 의미 있는 활동을 찾아보고, 사랑하는 사람들과의 시간을 소중히 여기고, 배움과 성장을 지속하며, 봉사와 나눔을 실천하고,

건강을 유지하며, 긍정적인 태도를 유지하는 등의 방법을 통해 우리는 남은 시간을 더욱 가치 있게 사용할 수 있어요. 오늘도 이러한 노력을 통해 더 나은 미래를 향해 나아가기를 바라요.

늦게 깨친 삶이 남은 삶을 지배하는 것이다

*후반기 인생에서의 성공과 성취

후반기 인생에서의 성공과 성취는 우리가 축적한 경험과 지혜를 바탕으로 더 큰 만족과 행복을 추구하는 과정이에요. 인생의 후반기를 더욱 풍요롭고 의미 있게 보내기 위해, 성공과 성취를 이루는 방법을 함께 살펴볼게요.

먼저, 자신만의 목표와 꿈을 명확히 설정하는 것이 필요해요. 인생 후반기에 어떤 목표를 이루고 싶은지 구체적으로 생각해보세요. 새로운 취미를 시작하거나, 오래된 꿈을 실현하는 것 등 자신에게 의미 있는 목표를 설정하세요. 명확한 목표는 우리에게 방향을 제시하고, 동기부여를 높여줘요.

다음으로, 지속적인 자기 계발과 학습이 중요해요. 새로운 기술을 배우거나, 새로운 분야에 도전하는 것은 우리의 삶을 더욱 풍요롭게 만들어요. 책을 읽거나, 강의를 듣거나, 새로운 활동에 참여하면서 끊임없이 배워나가는 자세를 유지하세요. 평생 학습을 통해 우리는 더 많은 기회를 발견하고, 자신을 계속 발전시킬 수 있어요.

자기 관리와 건강 유지도 중요한 요소예요. 신체적, 정신적 건강은 성공과 성취의 기초가 돼요. 규칙적인 운동과 균형 잡힌 식사를 통해 건강을 유지하고, 충분한 휴식과 스트레스 관리를 통해 정신적 안정을 찾는 것이 필요해요. 건강한 몸과 마음이 있어야 더 큰 성취를 이룰 수 있어요.

인간 관계를 강화하는 것도 후반기 인생에서 성공을 이루는 중요한 부분이에요. 가족, 친구, 동료와의 관계를 소중히 여기고, 새로운 사람들과의 만남을 통해 사회적 네트워크를 확장하세요. 긍정적인 인간 관계는 우리에게 큰 지지와 힘을 줄 수 있어요. 서로의 성공을 격려하고, 함께 기쁨을 나누는 관계는 삶을 더욱 풍요롭게 만들어줘요.

경제적 안정을 위한 계획도 필요해요. 은퇴 후의 삶을 계획하면서 재정적인 안정을 확보하는 것이 중요해요. 저축이나 투자, 재정 관리 등을 통해 경제적 안정을 이루고, 경제적인 걱정 없이 원하는 삶을 살 수 있도록 준비하세요. 경제적 안정은 우리의 삶의 질을 높이는 데 큰 역할을 해요.

또한, 사회적 기여와 봉사를 통해 성취감을 느낄 수 있어요. 자신의 경험과 지혜를 다른 사람들과 나누고, 사회에 긍정적인 영향을 미치는 활동을 통해 보람을 느껴보세요. 자원봉사나 멘토링, 커뮤니티 활동 등을 통해 우리는 더 큰 만족과 성취감을 얻을 수 있어요.

마음의 평화를 찾는 것도 중요한 부분이에요. 명상이나 요가, 자연 속에서의 산책 등을 통해 마음의 평화를 찾고, 내면의 목소리에 귀 기울이는 시간이 필요해요. 마음이 평온해야 더 큰 성공과 성취를 이룰 수 있어요. 자기 자신과의 대화를 통해 진정한 행복과 만족을 찾아보세요.

마지막으로, 긍정적인 태도를 유지하는 것이 중요해요. 인생 후반기는 새로운 도전과 변화의 시기이기 때문에, 긍정적인 마음가짐이 필요해요. 어려운 상황에서도 희망을 잃지 않고, 낙관적인 태도로 변화를 받아들이는 것이 중요해요. 긍정적인 태도는 우리의 삶을 더욱 풍요롭게 만들어줄 거예요.

후반기 인생에서의 성공과 성취는 우리가 축적한 경험과 지혜를 바탕으로 더 큰 만족과 행복을 추구하는 과정이에요. 목표 설정, 지속적인 자기 계발과 학습, 건강 유지, 인간 관계 강화, 경제적 안정, 사회적 기여와 봉사, 마음의 평화 찾기, 긍정적인 태도 유지 등을 통해 우리는 인생 후반기를 더욱 풍요롭고 의미 있게 보낼 수 있어요. 오늘도 이러한 노력을 통해 더 나은 미래를 향해 나아가기를 ...

우린 어떻게 살 것인가

발 행 | 2024년 07월 22일
저 자 | 박 창수
펴낸이 | 한건희
펴낸곳 | 주식회사 부크크
출판사등록 | 2014.07.15.(제2014-16호)
주 소 | 서울특별시 금천구 가산디지털1로 119 SK트윈타워 A동 305호
전 화 | 1670-8316
이메일 | info@bookk.co.kr
ISBN | 979-11-410-9652-6
www.bookk.co.kr

부크크에서 출판한 저서

막켈리그라피
묵향캘리그라피
온통켈리그라피
가슴이 부르는 노래
아름다운 나날이여
말하지 못한 내 사랑은
어찌함까요우리 지나가는 순간들이

캘리그라피 동호집

한줄의 꿈 두번째 이야기에 참여